【増補版】

腎臓病は体内浄化すればよくなっていく

慢性腎臓病（CKD）→腎不全→透析治療にならないために

自治医科大学名誉教授
草野英二 監修

平原社

本書は２０１６年11月に総合科学出版から発行された
『腎臓病は体内浄化すればよくなっていく』を加筆・修正したものです。

監修の言葉

腎機能の維持のためにできること

自治医科大学名誉教授
独立行政法人　地域医療機能推進機構　うつのみや病院院長
医学博士　**草野英二**

１３００万人、成人の８人に１人。これだけの日本人が抱えている病気とは何でしょうか。おそらく誰も腎臓病だとは思わないのではないでしょうか。けれどもこの数字は、日本で行われている健康診断等から推計された科学的な数字です。腎臓病ことに慢性腎臓病（ＣＫＤ）を抱えている人は、実際に１千万人をはるかに超えています。

ただしたんぱく尿や血尿、血清クレアチニン等、ＣＫＤと考えられる検診結果が出ても、治療を受けていない人も多いのです。宇都宮市の統計では、健診で腎臓病と診断できる人の内、病院を受診していない人は4人に1人、以前は受診していて今はしていないという人を合わせると3人に1人が未治療という数字になります。

なぜかというと、やはり自覚症状が乏しいからです。腎臓は肝臓と並ぶ「沈黙の臓器」であり、腎機能が6割、7割失われていても、本人は特に痛くも苦しくもありません。そのため病気の自覚が持てず、放置してしまっている人がとても多いのです。

自然に治ることの少ない腎臓病ですので、多くの方が早期発見、早期治療にこぎつけ、ご自分の腎臓で寿命を全うできるようにしていただきたいと思います。

ところで腎臓はとても地味な臓器ですが、血液を濾過して老廃物を除去するだけでなく、水分やミネラルを調節し、様々なホルモンを分泌し、血液や骨の形成などにも関係して大いに健康維持にあずかる重要な働きをしています。最近では腎臓の尿細管に、老化を調節する遺伝子（クロトー遺伝子）が存在することがわかり、世界中の研究者がそのメカニズムや医療への応用を研究しています。

クロトー遺伝子は老化抑制遺伝子といってもよく、リン等の体内成分を調節するホルモンで老化を抑制することがわかってきました。腎臓病の患者さんの腎機能の低下や老化にはクロトー遺伝子が深く関わっていると考えられ、今後の治療法に新たな方法をもたらすかもしれません。

現在の腎臓病の薬物療法の1つにクレメジンという薬があります。これは腸で腎臓病を悪化させる尿毒素を吸着し便と一緒に排出してしまう薬です。方法論はよいのですが、便秘などの副作用に加えて、1回に服用する薬の量が多く飲みにくいこと等があって、今一つ本領を発揮できずにいました。

このクレメジンに着目した研究者たちが、クレメジン同様炭を使って吸着炭粉末という、これまたユニークなサプリメントを開発しました。やはり腸で尿毒素を吸着して便と一緒に排出するのですが、量が少なくて飲みやすく、かつ吸着する尿毒素の種類も多いようです。特に動脈硬化の原因物質として注目されているＡＧＥの吸着力が高いので、腎臓への負担を軽くして腎機能の維持に有効だと考えられます。

腎臓病の治療は、日本においては腎移植がなかなか普及せず、人工透析が最終的な方法として定着しています。この方法の技術的な向上は素晴らしいものがありますが、非常に長い時間がかかり、患者さんの人生や生活にとって負担であることに違いありません。人工透析は避けたいというのが患者さんの願いだと思います。

今後クロトー遺伝子の研究が、新たな腎臓病の根治療法に一役買う時代がくるかもしれません。それまで患者さんは、できれば早期発見、早期治療を。もし進行してしまったら、従来の標準的治療法を元に腎機能の維持に励んでいただきたいと思います。

本書で紹介している吸着炭粉末は薬ではなく「サプリメント」というカテゴリーですので、患者さんがご自分の意思で取り入れることができます。そうした工夫も大切だと思います。どんな病気も自助努力は欠かせません。病気の治療もご自分で納得して取り組み、ほかにもできる方法をどうぞ工夫していただきたいと思います。

まえがき

腎臓病も一病息災。透析をせずに上手に生きるために

多くの慢性病がそうであるように、腎臓病は患者さんにとっても医師にとっても結構難しい病気です。はじめは全くと言っていいほど自覚症状がなく、静かに進行していきます。定期的に健康診断を受けていると、尿たんぱくや血尿、血清クレアチニンなどが上昇して腎臓病の疑いが出てきますが、ここでご本人が受診につなげないと、そのまま放置されてしまいます。

それでは腎臓病が、自然に治ってしまう事があるのでしょうか。風邪や食あたりや軽いケガのように。残念ながらそれはごく稀です。腎臓病はある程度進行すると、自

然治癒は少ない病気です。

そうして何年、あるいは何十年もかかって徐々に進行し、尿毒症寸前になってようやく症状が現れます。むくみや倦怠感、夜間頻尿、貧血などの症状がそれですが、そうなると病状はもはや腎不全です。さらに放置すれば完全な尿毒症になって、人工透析以外に命をつなぐ道はありません。

血液透析は通常1週間に3日病院に通い、1回4時間あまりをかけて血液を清浄化します。多くの時間を治療に費やす事になり、それが一生続くのです。できればそんな不自由な生活をしたくない。誰もがそう思っています。

しかし、早い段階で治療を開始すれば腎機能を維持でき、本来の寿命を全うできる可能性が高くなります。一病息災で生きていく方法はあります。腎臓病には特効薬はありませんが、症状に応じた様々な治療法があります。

腎臓病の標準的治療で改善しない場合には、吸着炭というサプリメントは頼りになります。本書では、腎臓病を悪化、進行させる張本人である尿毒素を腸内で吸着し、便と一緒に排出してしまう吸着炭粉末という物質を紹介しています。「炭」でできているこの物質は、腎臓病の医師、研究者、薬学の専門家らによって開発されました。既に多くの腎臓病の患者さんの助けになり、透析導入を遅延させたり、回避できている方もいます。

腎臓病は、病院任せ、医者任せでなく、本人の取り組みも大切です。そして患者さん本人が主体的に考え、工夫する事で道は開ける場合も少なくありません。

腎臓病は体内浄化すればよくなっていく◉目次

第3章 腎臓を腸から治す 腸の尿毒素を吸着して排出する物質とは 97

第4章

慢性腎臓病（CKD）と動脈硬化の張本人、AGE（終末糖化産物）を除去する吸着炭粉末

第5章

吸着炭粉末で慢性腎臓病（CKD）が改善した症例 171

第6章

吸着炭粉末に関するQ＆A　219

第1章 腎臓の働きと腎臓の病気

腎臓病は日本人の国民病

腎臓とはどんな臓器でしょう。多くの人はこう答えるでしょう。

「おしっこを作るところ」「血をきれいにするところ」。

それで大体合っています。血をきれいにしておしっこを作るのが腎臓の仕事です。

そしてそのプロセスが、我々の体にとってどれほど重要で、健康を維持するために欠かせない働きになっているかについてはあまり知られていないようです。

腎臓は心臓のようにドキドキ鼓動するわけでもなく、胃腸のように食事のたびに意識される事もありません。毎日黙々と働き続け、過酷な仕事に耐え、がんばり続けています。その寡黙な態度が災いして、不調があっても気づかれず、少しずつ病気が進行している事があります。

さらに知られていないのは、腎臓病の患者さんが非常に多い事。日本人では成人の8人に1人、推定1300万人以上が慢性腎臓病（ＣＫＤ）に罹っているというデータがあります。罹りやすいのは中高年以降の生活習慣病世代ですが、小さな子供も、20代の若年層でも腎臓病になる事があります。

腎臓そのものに異常が起きる器質的な病気もあれば、糖尿病、高血圧、痛風などの生活習慣が原因の病気もあります。そして最も患者数が多く深刻なのは、糖尿病の合併症である糖尿病性腎症です。これは、糖尿病患者の増加と共に増えており、人工透析になる最大の原因になっています。

こうした事から腎臓病は今、新たな国民病としてクローズアップされています。

そこでまず腎臓とはどんな臓器なのか。本章でご紹介してみましょう。

働きその1▼▼▼体のクリーニング工場

腎臓の働きの中心となるのは、図のように血液をきれいにする事です。

血液は全身をめぐって、体中の細胞に栄養と酸素を届けています。そして老廃物や

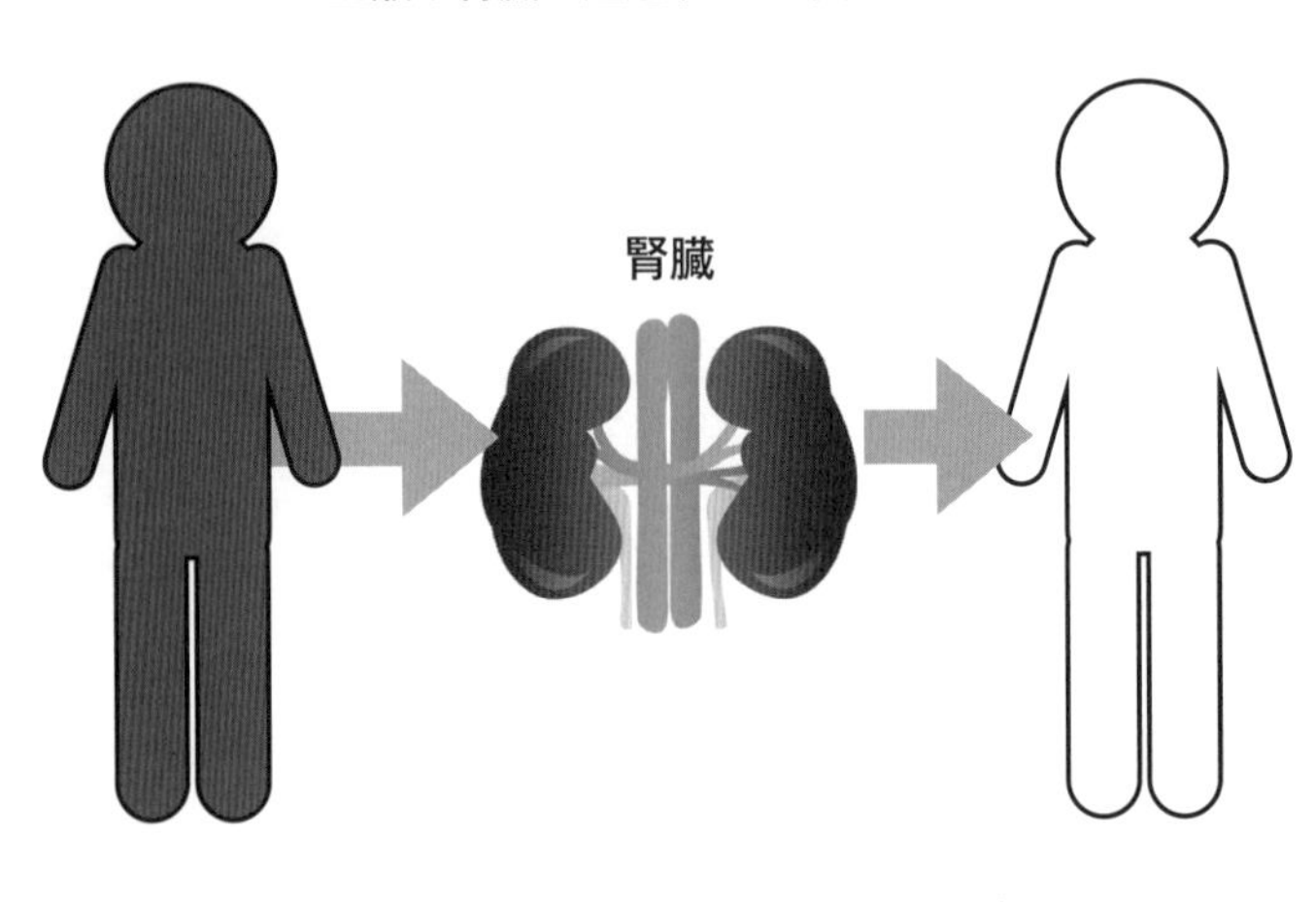

二酸化炭素などを体外に排出します。この血液が回収した老廃物などを処理しているのが腎臓です（二酸化炭素は腎臓ではなく肺で酸素と交換され、呼気によって排出されます）。

全身の細胞では、その活動によって、尿素窒素、尿酸、クレアチニンなどの代謝産物（老廃物）が発生します。血液は栄養成分を届けると同時にそれらを回収し、腎臓に運びます。腎臓はそれらを濾過し、血液をきれいにして再び体内に戻します。

腎臓で濾過された老廃物は、不用な水分＝尿と共に排泄されます。

このように腎臓が一日に処理する血液量は、実に150ℓと言われています。150ℓといえばドラム缶1本に相当します。成人の体重の2〜3

倍もの血液を処理しているわけですから、腎臓がどれだけ働き者かがわかります。腎臓は体のクリーニング工場であり、もし機能が停止したら、体は老廃物でいっぱいになってしまいます。

はじめに腎臓は「おしっこを作るところ」でほぼ合っていると述べましたが、だからといって血液循環の最終地点ではありません。血液は腎臓で浄化され、再び全身を巡ります。

血液をきれいにする仕組み

腎臓の仕組みをもう少し具体的に見てみましょう。

まず腎臓という臓器は、背中側の腰の上あたりに、左右1つずつ計2つあります。左腎と右腎です。大きさは握りこぶしくらいで、1個120〜150g。この小さな臓器が、前述のように1日150ℓの血液の処理をしているのです。

腎臓はソラマメのような形をしていると言われます。そしてこの豆の形の臓器の中に、図に示したように腎臓の中枢であるネフロンという組織が、腎臓1個あたり100万個入っています。

ネフロンは、毛細血管が毛糸玉のようにびっしり絡み合った糸球体と、尿が通過する尿細管でできています。

動脈を通って運ばれてくる血液はまずこの糸球体に流れ込みます。糸球体は細かい網の目になっており、その網の目から水分、尿素窒素、尿酸、クレアチニンなどの分子の細かい物質（老廃物を含む）は濾過され、漏れ出ていきます。

血液中の赤血球、白血球、たんぱく質等の主要な成分は、分子が大きいので糸球体の網の目からは出ず、そのまま再び血管に流れて体を循環していきます。

糸球体で濾過されたものが原尿です。ここにはまだ体にとって必要な物質がたくさん含まれているので、尿細管というフィルターを通して、必要なもの、使えるものを再吸収します。

原尿の99％は血管に再吸収されていき、残った1％が尿として腎盂に集まり、そこ

腎臓と微細構造のネフロン

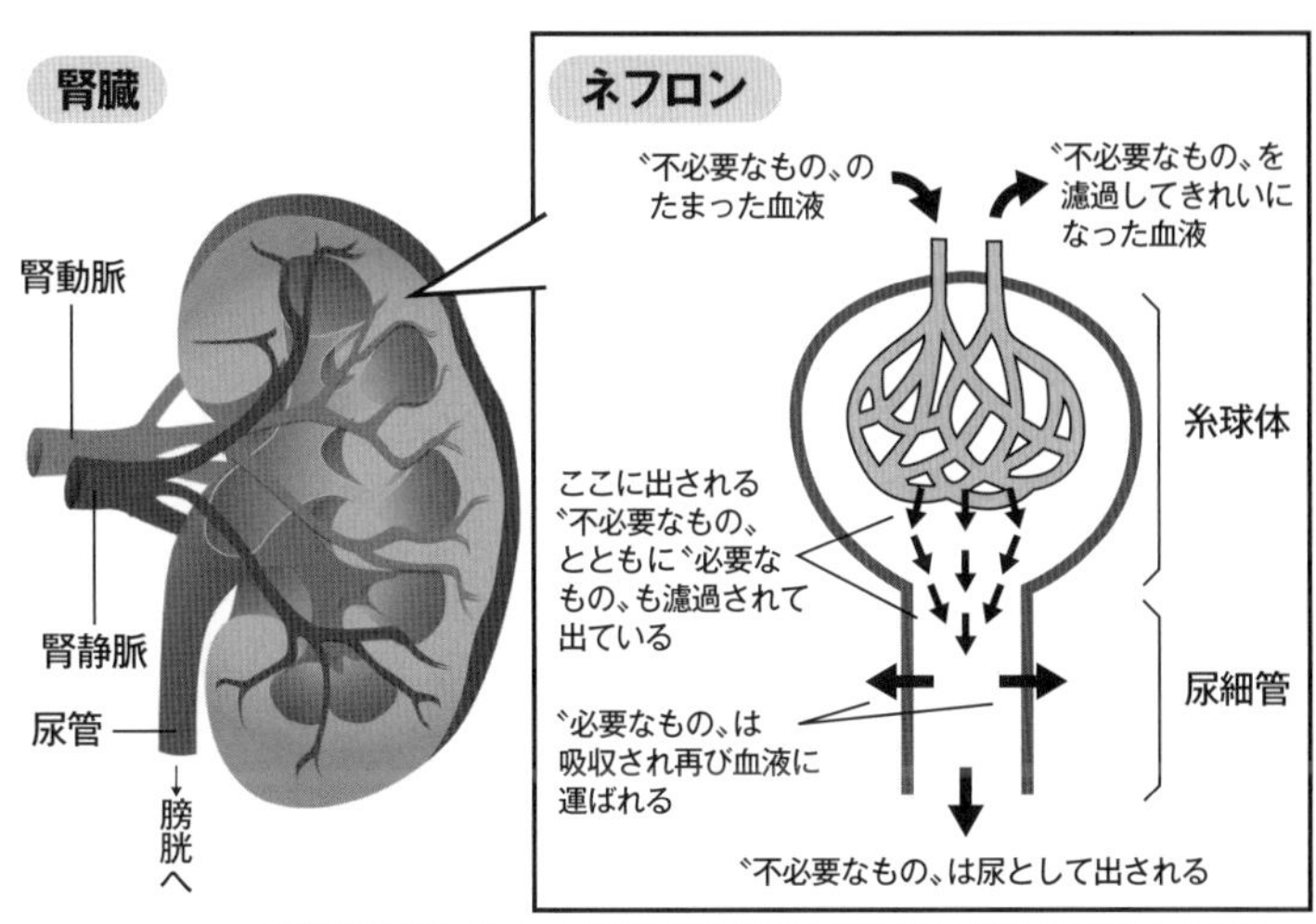

1個の腎臓には、ネフロンが約100万個あり、尿を作る重要な働きを担っている。

から膀胱を経て排泄されます。150ℓの血液のうち、最終的に尿となるのは1％の1・5ℓというわけです。

この働き＝濾過機能が弱ると、次第に体に老廃物や毒素がたまっていきます。

腎臓、特にネフロンの糸球体は加齢と共に衰えて壊れ減っていき、自然に再生する事はないと言われています。従って腎臓の不具合は早く発見して、早く回復させるようにしなければなりません。

ちなみに尿は98％が水分で、残り2％に尿酸、尿素窒素、クレアチニン、アンモニアなどの老廃物（代謝産物）が含まれています。

これらは老廃物ではありますが、菌がうようよしている訳ではありません。尿は汚いもののように捉えられていますが、腎臓が健康なら排泄されるまで全くの無菌です。

働きその2▼▼▼体内の水分量、電解質を調節する

我々の体の6割は水分でできています。水分量は、多すぎても少なすぎてもよくありません。腎臓は150ℓもの血液のクリーニングをしながら、多すぎる水分を尿として排泄し、ちょうどよい水分量を維持しているのです。

水分量と併せて調節しているのが電解質です。

電解質とはナトリウム、カリウム、リン、マグネシウムなどのミネラル（微量金属）の事で、血液などの体液に溶けています。電解質は神経の情報伝達や筋肉を動かす働きにとって欠かせない物質であり、水分と同様に多すぎても少なすぎてもいけません。電解質をちょうどよい量に調節するのは腎臓の働きです。

また人間の体液のｐＨバランス（酸性とアルカリ性）は、健康であれば弱アルカリ性です。これを維持しているのは主に腎臓と肺です。

働きその3▼▼▼ホルモンなどの分泌と調節

腎臓は血液や体液のバランスを取るだけでなく、様々なホルモンを分泌し、体調を整える働きをしています。

例えば赤血球を作るホルモン・エリスロポエチン、血圧を調節するレニン（血圧を上げる）、キニンやプロスタグランジン（血圧を下げる）等のホルモンを分泌していま す。またカルシウムの吸収を助けて骨を丈夫にするビタミンＤは、腎臓が活性化する事で働いています。

従って腎臓の働きが衰えると、貧血になったり、血圧が高くなったり、骨がもろくなったりするのです。

働きその4▼▼▼老化を調節する

腎臓に関する最も新しい知見であり、注目されている働きは、図に示したように老化を調節する遺伝子を有する事です。その遺伝子はクロトー遺伝子と呼ばれ、日本の医学者・黒尾誠博士（現自治医科大学大学院教授）が発見し、研究が進んでいます。この遺伝子は、腎不全の患者さんでは減少している事が報告されています。

実験動物のマウスでは、クロトー遺伝子が欠損すると老化が早くなり、逆に過剰に発現すると寿命が長くなる事が観察されています。ヒトにおいてもほぼ同様の現象が起きると考えられており、腎臓病だけでなく、様々な病気や老化現象にクロトー遺伝子が関わっているようです。

今後クロトー遺伝子の研究が進み、治療によってクロトー遺伝子を増やすことができれば、がんや難病の予防や根治治療ができるようになるかもしれません。

（クロトー遺伝子発見者の黒尾誠博士と本書の監修者である草野英二博士（自治医科

腎臓は老化の調節も行う

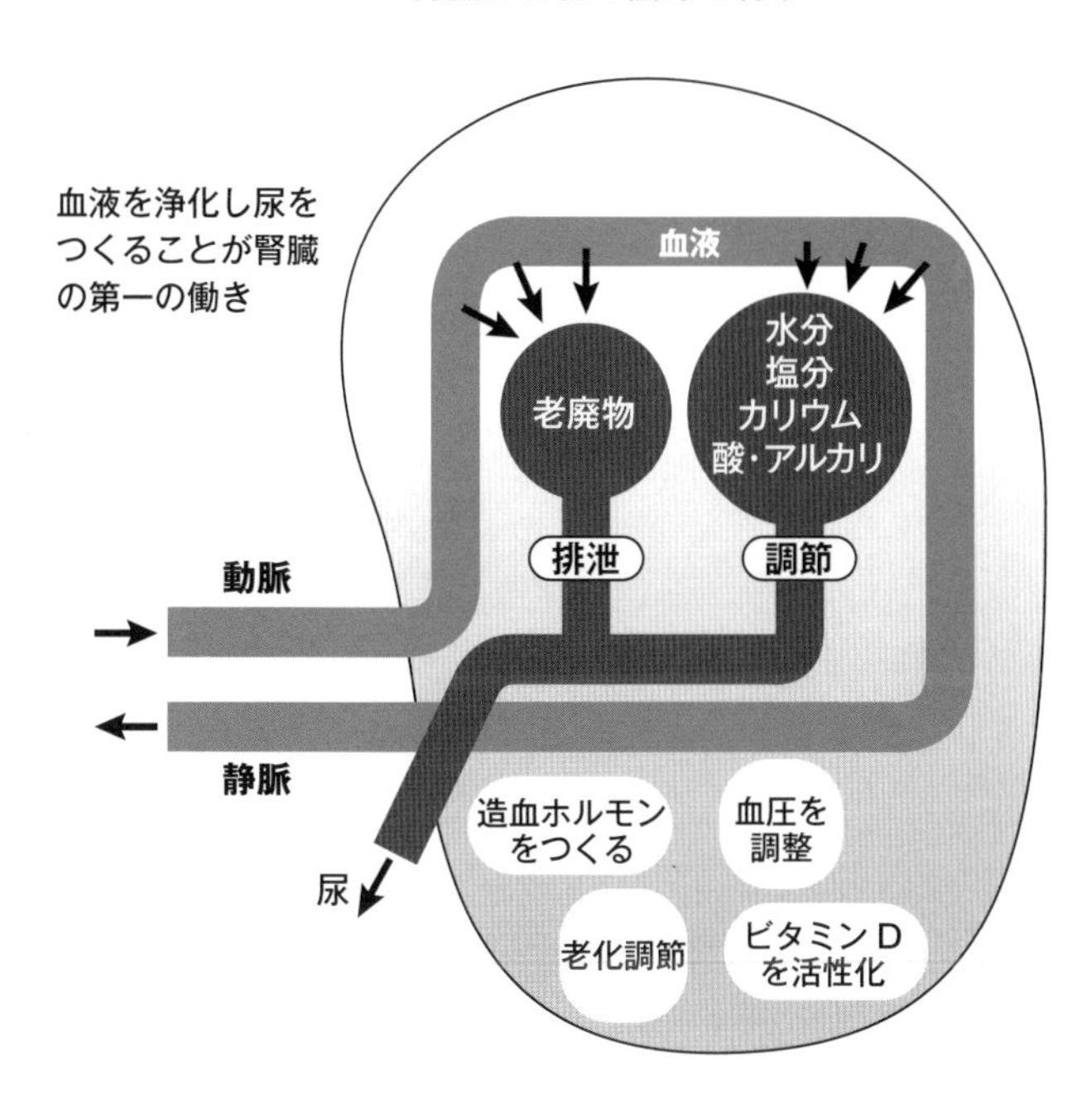

大学名誉教授）は、共にクロトー遺伝子と腎臓病の関係を研究され、共著で『腎臓病から見えた老化の秘密』（日本医学館）を出版しておられます）。

腎臓は血液をきれいにするだけでなく、我々の生命活動の根幹を支え、恒常性を維持する重要な働きがある事がおわかりいただけたでしょう。

腎臓は人類の進化に適応し生命を支えた臓器

先ほど腎臓は「150ℓもの血液をクリーニングして、1・5ℓの尿を排泄している」と述べました。握りこぶしのような小さな臓器2つが、驚くほど大きな能力を持っている事がわかります。

しかし150ℓの血液の内1％の1・5ℓを捨てるだけのために、99％を再吸収するのは無駄なような気もします。なぜこれほど大量の血液を循環させる必要があるのでしょうか。

その理由は人類の、もっと広く考えると哺乳類の進化の過程が生んだ必然であったと考えられています。

人類を含むあらゆる動物は、太古の昔は全て海に棲む水生生物でした。その一部が進化の過程で陸に上がり、エラ呼吸を肺呼吸に変えて地上生活に適応していきました。はじめは両生類、やがて爬虫類、鳥類、哺乳類と種類が増え、それぞれに最適な体を作り上げていったわけです。

生物が海から陸に上がった時点で、呼吸だけでなく大きな変化に適応しなければなりませんでした。それまで塩分濃度の高い海に暮らしていたので、陸上で体の塩分をどう調節するかという問題が発生したのです。

そこで大きく進化したのが腎臓です。

海に暮らしていたものにとって、地上は塩分などのミネラルと水分が圧倒的に不足します。少ない水分とミネラルを有効活用し、かつ老廃物を排泄するために、150ℓもの血液を処理し、繰り返し循環させる高機能な腎臓を獲得したのです。

我々は、汗をかいて水分も塩分も必要な時もあれば、水分を取りすぎてむくんでいる時もあります。99％は再吸収といっても、場合によっては98％を再吸収し、2％排泄する事もできます。ビールを飲みすぎてたくさんおしっこが出るのはそんな時です。

この1％、2％というわずかな量を調節するためには、たくさん水分があった方がいいのです。大量の血液を循環させるのは、体に最も適した状態を維持するために微調節が必要だからだと考えられています。

なぜ腎臓は1つだけでも生きていけるのか

腎臓は重要な仕事をたくさん抱えているので、小さいとはいえその中身は緻密で高性能です。しかも余裕を持って働く体制が組まれていて、常にフル稼働しているのではありません。1個の腎臓に100万個、左右合計200万個のネフロンは、一部は休憩し、その時々に必要な分だけ働いている事がわかっています。左右2つあるのも、余裕を持って働けるようにできているのです。

生体腎移植が可能なのも、この余裕の構造が理由です。腎臓がダメになったら、家族などから健康な腎臓を1つもらって、その1つで生きていく事ができます。腎臓を提供した人も、残りの1つで生きていけるだけの機能が備わっているので移植に応じる事ができるわけです。

腎移植は、腎不全治療の最も有力な方法ですが、残念ながら日本ではあまり普及していません。脳死という概念や移植医療に関するコンセンサスがまだ定着していない事や、普及活動の遅れなど様々な理由があります。

腎臓は心臓死、脳死の場合だけでなく生体腎移植が可能ですが、海外に比べるとまだ少ないのが現状です。しかし、近年、拒絶反応を抑える薬の進歩により、徐々に増加しつつあります。

腎臓病の原因は生活習慣、そして加齢

毎日大量の血液の浄化を行って有毒な老廃物を除去し、水分やミネラルを最適の状態に維持し、体の恒常性を保つ重要な働きをしている腎臓は、まさに命のカナメ的な存在と言えます。

ただしどんな臓器にも言える事ですが、加齢によって少しずつ働きが悪くなり、弱っていきます。腎臓もネフロンが少しずつ疲弊し、壊れて数が減っていきます。誰もが年を取れば、大なり小なり腎臓が弱って機能が低下していくのは致し方ない事です。

もちろん個人差があって、100歳まで何の異常もなく働き続けられる腎臓もあれば、若い頃から病気がちの弱い腎臓もあります。

また全身の血液を処理している事から、腎臓以外の臓器のトラブルの影響を受けやすく、それが原因で病気になるケースが少なくありません。後で述べる糖尿病性腎症や高血圧による腎硬化症などは代表的な例です。常に体の他の働きと連動して働いている臓器は、やはり連動して病気になりやすいのです。

腎臓に負担をかけ、ダメにしていく生活習慣も見落とせません。

最も重要なのは食事。特に塩分の摂りすぎは高血圧を招くので大問題です。食べすぎからくる肥満、メタボリックシンドローム、また喫煙も糸球体の血管を収縮させるのでよくありません。ストレスも血流を悪化させるので、うまく解消することで腎臓に負担をかけないことが肝心です。

これらの要素は、後述する動脈硬化の原因と全く同じです。

各種腎臓病による糸球体濾過の障害パターン（1個のネフロン）

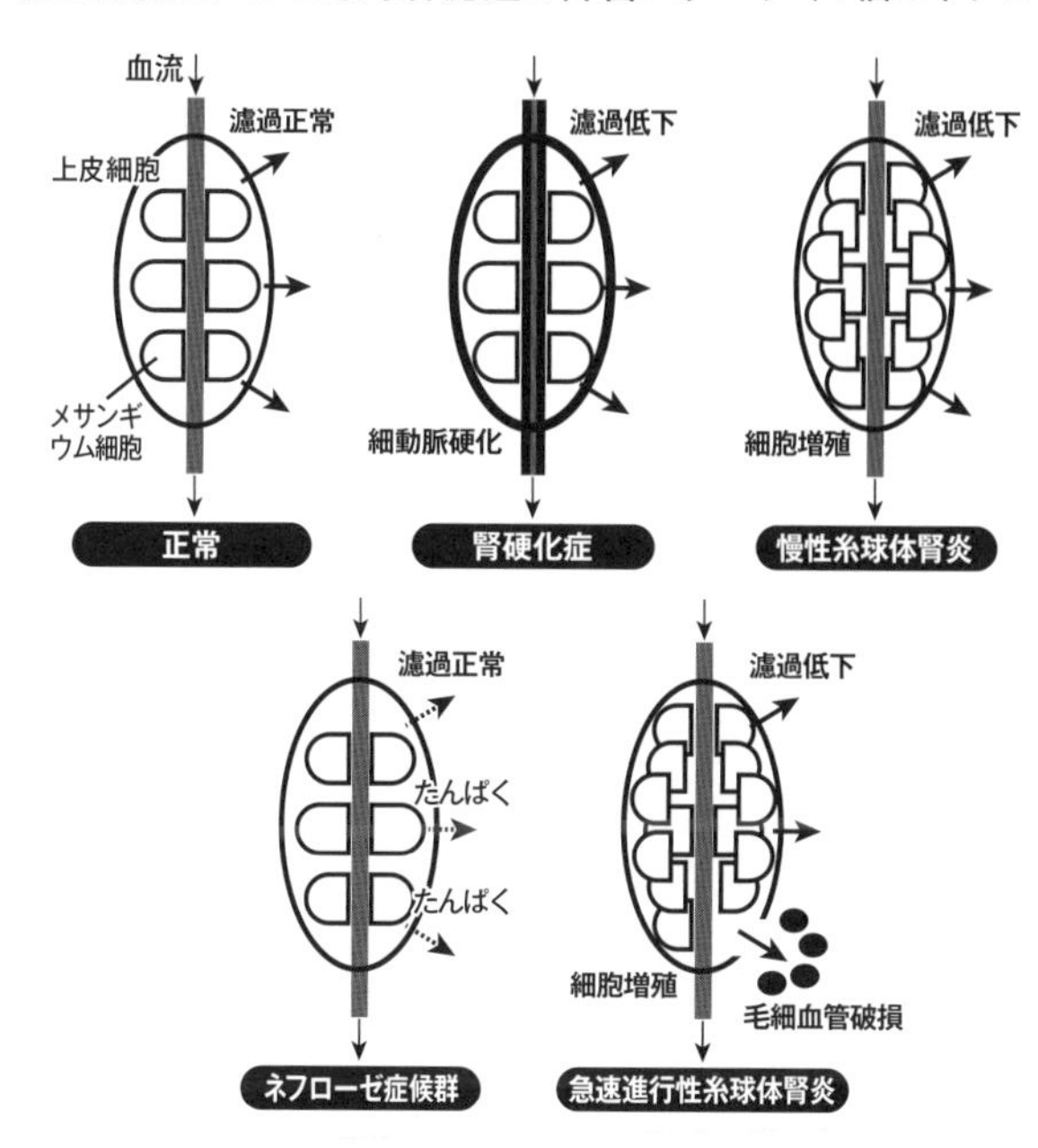

腎臓病は血管の病気

腎臓病と言うと、腎臓という臓器の病気だと思われますが、もう少し大きく、かつ細かく見ていくと主に血管の病気だという事ができます。

図に示したように、腎臓は毛細血管を主要部分とする血管のかたまりですが、血管内皮細胞と毛細血管を取り巻く上皮細胞とメサンギウム細胞から成り立っています。腎臓の病気はこれらの細胞の障害によりますが、結果的に毛細血管を障害して血液の濾過が行えなくなることが問題です。

既に述べたように腎臓はその働きが苛酷である事から、かなり余裕を持って作られています。それでも仕事量の多さから負担は大きく、血管の老化、劣化によって腎機能が低下していくのです。ことに、これらの細胞に障害があればなおさらです。

腎臓の血管が劣化しているのに、体の他の血管が全くの正常、健康という事はありません。腎臓の血管に問題があるという事は、ほぼ全身の血管で問題が発生しています。前にも述べたように、腎臓に障害があると血圧を上げるホルモンが増加し、逆に血圧を低下させるホルモンが少なくなり、血圧が高くなります。高血圧は血管障害の最たるものですから、全身の血管で老化、劣化が発生するのです。

血管の老化、劣化は動脈硬化を意味します。

腎臓においても同様で、糸球体内の細動脈においても動脈硬化が起こります。そうして糸球体の細動脈や毛細血管がつぶれてダメになるので腎機能が低下していくのです。

腎臓の動脈硬化というと腎硬化症が代表的な疾患ですが、糖尿病性腎症でもＩｇＡ腎症でも腎臓の血管では動脈硬化が起こります。発症のメカニズムは異なりますが、血管で起きている事は結果的に共通しており、腎臓病は極論すれば血管の病気だという事ができます。

腎臓の血管の動脈硬化はなぜ起きる

健康な血管は、弾力があって伸び縮みしやすく、内壁はなめらかで血液がスムーズに流れるようになっています。しかし年を取って血管が老化してくると、弾力がなくなって硬くなってきます。加えて糖尿病、高血圧や脂質異常症などを合併するとなおさらです。血管の内壁にコレステロールなどの脂質が付着してプラークを形成し、表面がでこぼこした状態になると、血管の内腔は狭くなります。血流でプラークがはがれて内壁が傷つき、血のかたまり（血栓）ができて、さらに血管は狭く細くなる悪循環によって詰まったり破れたりして、血管がダメになっていくのが動脈硬化です。

こうした現象が脳血管や心臓の冠動脈で起こると、時として脳卒中や心筋梗塞になり命に関わる事態になります。しかし腎臓の毛細血管でも同様の事が起こっており、じわじわと糸球体をダメにしている事に、多くの人は気づかずにいるのです。

動脈硬化が起こる原因はたくさんあります。まず加齢。これは自然現象でもあり、防ぎようがありません。他に高血圧。これは最も大きな原因であり、危険な要素です。動脈硬化、特に腎臓の毛細血管にとっての動脈硬化と高血圧は、腎臓病に直結する原因になります。

次に脂質異常症。以前は高脂血症と言っていました。血液中にコレステロール（特にＬＤＬコレステロール）や中性脂肪が多すぎる状態です。血中の脂質は、血管内壁にこびりついて内腔を狭くしていきます。

喫煙も要注意因子です。タバコに含まれるニコチンやタールは血管の収縮を引き起こし、高血圧と動脈硬化を促進します。

以上の「高血圧」「脂質異常症」「喫煙」を動脈硬化の３大要因といい、危険な要素だと言われています。

ほかに糖尿病、肥満、ストレスなどが原因として挙げられています。

これらの要素は相互に影響し合って悪循環を招くため、どれもが原因であり結果でもあると言えます。

慢性腎臓病（CKD）とは何か？

腎臓病には大きく分けて慢性腎臓病（ＣＫＤ）と急性腎障害（ＡＫＩ）があります。ＣＫＤの中には慢性腎炎、糖尿病性腎症、ネフローゼ、ＩｇＡ腎症などがあります。ほとんどが成人の病気ですが、小さな子供が罹る病気もあります。本章のはじめにご紹介した通り、日本人の成人の８人に１人（１３００万人以上）がＣＫＤという腎臓の病気になっており、今や国民病と言っていい状況です。もう１つはＡＫＩですが、これは従来急性腎不全と言われていたものです。急性に腎機能低下を来たし、水・電解質バランスに障害を起こす病気の総称です。日常臨床では薬剤による腎障害などが有名です。適切な治療で元に戻りますが、ＣＫＤになる場合もあり、油断はできません。

慢性腎臓病（CKD）とは

1 **たんぱく尿や血尿などが見られる、超音波で腎臓の異常、血液検査などで腎機能に異常が見られる**

2 **eGFR（推定糸球体濾過値）<60（ml／min／1.73m²）**

上記の 1 2 のいずれか、または両方が3か月以上持続する場合をすべてCKDという

日本腎臓学会編『CKD診療ガイド2012』から

腎臓の特徴として、一度大きなダメージを受けると、回復が難しい事が挙げられます。そのためいったん腎臓病になり、ある程度進行すると、治療しても元に戻すことはできません。さらに進んで末期腎不全になると尿毒症に至り、人工透析になる人が多いのが現状です。

人工透析は治療費が高額ですが、助成制度などにより個人負担はほとんどありません。その点は患者さんにとって安心材料です。

しかし高齢化の進む我が国にとって、これ以上の医療費、社会保障費の増大を抑制したい事情もあり、患者の増加を防ぎたいところです。

そこで近年、どんな原因であっても、どんな腎臓病であっても、腎機能が正常人の6割を切ったり、たんぱく尿、血尿や血清クレアチニンなどが3か月以上続けば、慢性腎臓病（ＣＫＤ＝Chronic kidney disease）と総称することになりました（表）。その目的は早期発見、早期治療であり、医療関係者だけではなく多くの人に、腎臓病の認識を持ってもらうためでもあります。

早期発見、早期治療につながれば、深刻な末期腎不全や重篤な合併症を未然に防ぎ、人工透析に至らずにすむ患者さんが増えると考えられます。ひいては医療費、社会保障費の抑止につながるわけです。

急性腎障害（ＡＫＩ）は慢性化を防ぐことが大切

一方、腎臓病には急性の病気もあります。急性というくらいなので、はじめからはっきりした自覚症状があり早い発見・治療につながります。早期発見、早期治療に持ち込めれば回復の可能性も高いので、予兆を見逃さずに医療機関を受診しましょう。

治療が遅れると回復も遅れ、慢性化してしまう場合もあります。そうなると治療が難しく治りにくいのが腎臓病です。

急性の腎臓病には、子供が罹りやすい急性糸球体腎炎、急性腎盂腎炎などがあり、これらはいずれも細菌感染が原因とされています。また、成人の場合は前述のように薬剤による腎障害が結構多いようです。その他にもたくさんの病気がありますが、ここでは省略します。

急性腎不全は同じ急性でも非常に深刻で、急いで治療を受けないと数日で尿毒症になり、命の危険を伴います。しかし適切な治療を行えば回復も早いので、やはり早期発見、早期治療が一番です。

命に関わる心血管病になりやすい

慢性腎臓病（ＣＫＤ）の最も怖いところは、初期にはほとんど自覚症状がないため、気づかないうちに進行してしまう事です（図）。その結果、治療をせずに放置すること

腎臓病の特徴

消化器、循環器、神経疾患	⟷	腎臓病
お腹や胸の痛み、頭痛など、自覚症状がはっきりしている		・腎不全末期になるまで自覚症状に乏しい ・高血圧、糖尿病、高脂血症、メタボリック症候群と似ている（自覚症状が少ない）

継続的に治療を受けていますか？

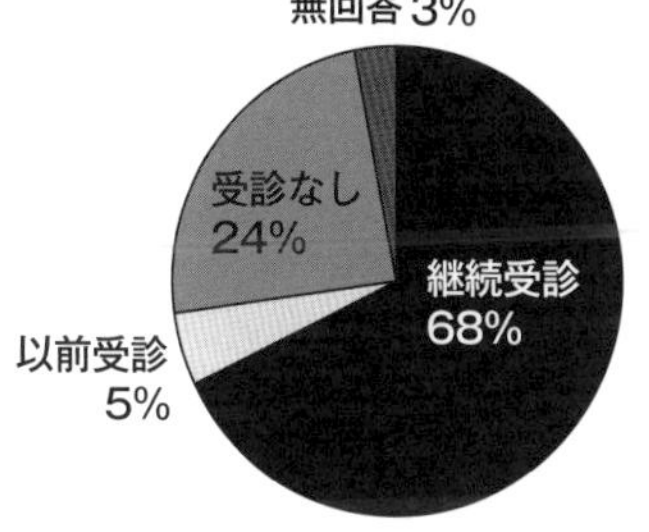

腎臓病と認識していますか？

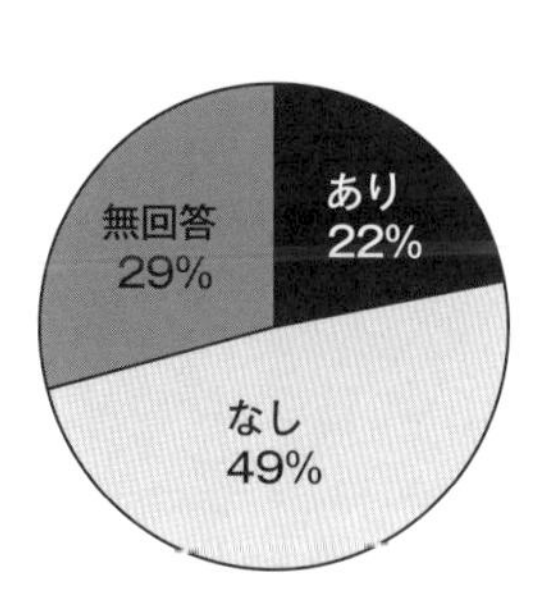

宇都宮市腎臓病予防事業の資料から

になり、手遅れになるまで悪化してしまう事が少なくありません。

宇都宮市腎臓病予防事業の資料によると、尿たんぱくがあり腎臓病と考えられる人のうち、病識（病気であるという認識）のない人は49％、半数に上ります。また検査を受けて腎臓病と診断されても、受診していない人が24％、つまり4人に1人に上ります（図）。

慢性腎臓病（ＣＫＤ）では元がどんな病気であっても腎臓機能が低下していくので、腎臓できれいになるはずの血液が、浄化されないまま全身を巡ることになります。老廃物や有害な物質がいっぱいの血液は血管を汚し、それによって血管が傷み動脈硬化を進行させます。

はじめは腎臓の糸球体や目の網膜などの細い毛細血管が、やがて冠状動脈などの太い血管でも動脈硬化が起こり、こうした血管によって栄養や酸素を供給されている全ての組織に支障が起きるようになります。特に怖いのは心臓や脳などの重要な組織が損傷を受けやすい事で、これらは直接命に関わります。

そのため慢性腎臓病（ＣＫＤ）の人は心筋梗塞や心不全、脳梗塞や脳出血などの重篤な病気になりやすい事がわかっています。アメリカや日本で行われた大規模な調査でも、慢性腎臓病（ＣＫＤ）の人は、心疾患や脳卒中で亡くなる可能性が、腎不全になる可能性より高いというデータが出ています。

動脈硬化と腎臓病は互いに悪循環を招く関係で、動脈硬化が悪化すると腎臓病になりやすく、腎臓病になると動脈硬化が進行しやすくなります。いずれも血管の状態が悪くなるという共通項があり、血管の病気と捉えることができます。

腎不全から透析療法、腎臓移植へ

腎臓の働きが極端に低下した状態を腎不全といいます。全ての腎臓病、例えば糖尿病性腎症、慢性糸球体腎炎、腎硬化症などは、悪化して腎不全に至ります。腎不全にも段階があり、なるべく早い内にそれぞれの腎臓病を治療して改善しないと末期腎不全に至り、人工透析療法しか治療法はなくなります。人工透析をせずに放置すると尿毒症になり、死に至ります。

我々がふだん食べているものの多くは、例えば炭水化物や脂質は、代謝されると水と炭酸ガスになり、無害です。

しかしたんぱく質は、全身の細胞で使われ、最終的にはクレアチニン、尿素窒素（尿素に含まれる窒素）、尿酸などに代表される窒素代謝産物になり、腎臓から排泄されます。窒素代謝産物にはこれら以外にも多くの毒性を持った物質があり、後で述べるインドキシル硫酸もその1つです。尿毒症はこれらが排泄されずに血液と共に全身を巡る事で起こる様々な障害を含む病態の総称です。

尿毒症になると水分や電解質の調節もうまくいかず、むくみや貧血、出血、不整脈、心不全など体のあらゆるバランスが壊れて命の危険に直面します。

通常はそうなる前に人工透析療法などが導入されます。

また腎臓病の最後の切り札、腎移植ですが、この治療法は腎臓病の根治療法になります。ｉＰＳ細胞を使っての腎臓の再生にはまだ時間がかかりそうです。

既に述べたように、日本ではまだ移植医療自体が一般的とは言えず、1年間の腎移植数は1000件程度です。アメリカでは1万5000件ほど。ヨーロッパの国々でも年間数千件は行われているので、人口比で見れば日本は非常に少ないと言えます。
日本では、腎臓移植を待ってもかなえられない患者さんがたくさんいるのです。

増える透析患者、糖尿病性腎症

次頁のグラフを見ていただけるとわかるように、日本の人工透析患者は年々増え続けています。その大きな原因となっているのが、糖尿病の合併症である糖尿病性腎症患者の増加です。糖尿病患者の増加に伴って腎症を併発する人が増えているためです。

糖尿病は合併症が怖い病気だと言います。糖尿病の合併症には色々なものがありますが、3大合併症と言われているのが神経症、網膜症、そして本書のテーマである腎症です。神経症や網膜症は糖尿病の比較的早い時期から症状が現れることが多いのですが、腎症は自覚症状が少ないため、発見が遅れる事が多いようです。従って現在では、糖尿病発症から5年も経てば尿中の微量アルブミンを測定して陽性なら早期腎症とし

日本の人工透析患者数の推移

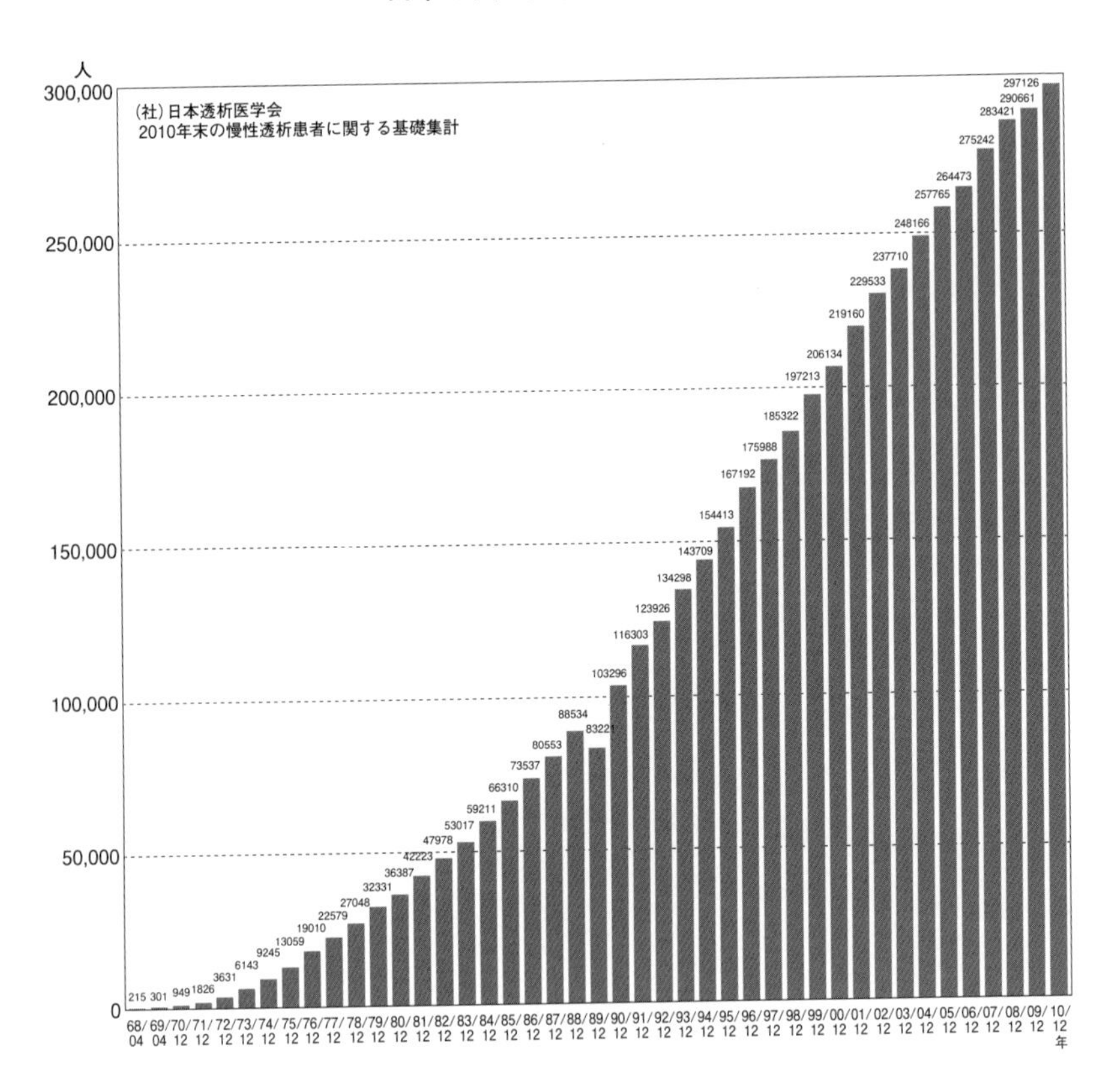

透析患者の原疾患の推移

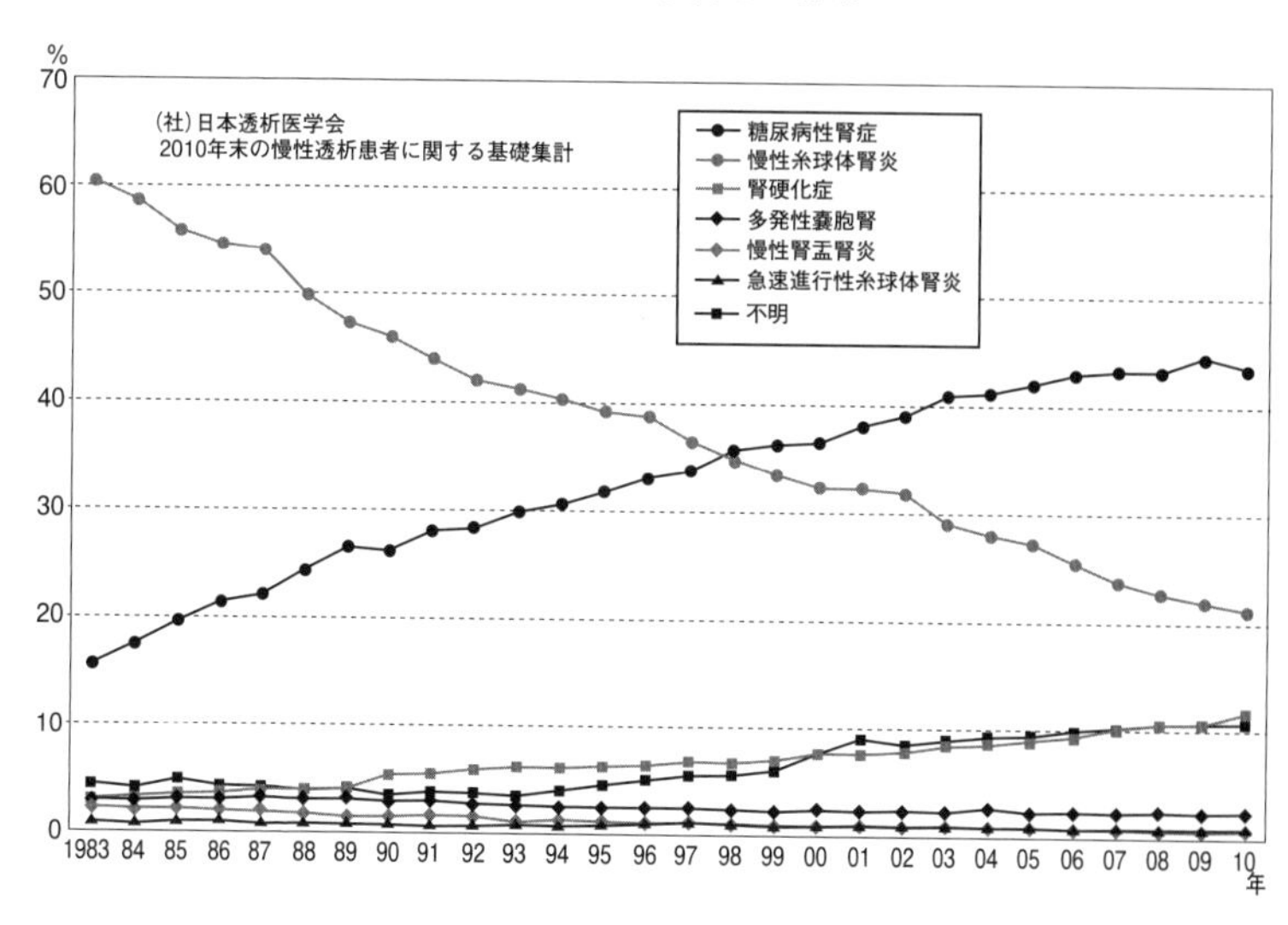

て対策を立てる必要があります。

もう1つのグラフを見ていただけるとわかるように、人工透析患者に占める糖尿病性腎症患者は増え続けており、1998年には慢性糸球体腎炎を上回り、今やワーストの1位です。糖尿病性腎症で透析を受けている人は、全透析患者の4割以上に上ります。

糖尿病は継続して治療をしている人であれば、通院時に定期的に検査を受け、腎臓の状態も把握できるものです。しかし日本の糖尿病患者のうち4割は未治療、つまり治療せず放置している人です。糖尿病も自覚症状のないまま進行する病気なので、気がついたら壊疽で足を切断、網膜症で失明寸前、腎症で人工透析という状況が起こっているのです。

国の事情ではありますが、人工透析治療は非常にお金がかかり総額で約1・5兆円。日本の医療費を圧迫しています。早期発見、早期治療が叫ばれるのは、そうした背景もあるのです。

第2章 慢性腎臓病（CKD）と治療法

腎臓病の検査と診断

腎臓の検査は尿検査、血液検査、画像診断、腎生検の４つが基本です。

尿検査でわかる事

腎臓は血液を濾過し、必要な成分は再吸収し、不要なものを尿として排泄しています。

尿検査で最も重要なのは尿たんぱくです。試験紙で陽性反応が出るとたんぱく尿があるとされます。陰性（－）であればいいのですが、陽性（＋）以上の場合は定量検査を行います。たんぱく尿は腎臓の糸球体に異常があってたんぱくが漏れやすく本来尿には出てはいけないものです。たんぱくの量が多いほど腎不全に移行しやすいと言われていますが、ネフローゼ症候群は別です。

ただし、試験紙で尿たんぱくが陰性（－）でも糖尿病や高血圧の患者さんでは「微量アルブミン尿」を調べる必要があります。実際、微量アルブミン尿が30mg／g・Cr（グラム・クレアチニン）以上出ていれば糖尿病の早期腎症や腎硬化症などの合併が考えられます。微量アルブミン尿は腎臓の血管の障害を示すだけでなく、全身の血管障害を反映して心筋梗塞や脳梗塞発症の予測因子と考えられていますので、その測定は重要です。

「尿潜血（血尿）」は、文字通り尿に血液が漏れ出ていないかどうかを見る検査です。目で見てどうかではなく、尿中の赤血球そのものを調べます。陰性（－）であれば問題ありません。

血尿が認められるのは腎臓病だけでなく、前立腺、尿道、膀胱の病気の事もあります。そこでさらに詳しい「尿沈渣」などの検査を行い、尿の成分を調べて原因や病気を探ります。

たんぱく尿と血尿の両方があると、進行性の慢性腎臓病（ＣＫＤ）の可能性が高くなります。

「尿糖」は尿に糖が混じっていないかどうか調べる検査です。尿に糖が出るというのは糖尿病の症状ですが、今では尿糖陽性ということで糖尿病を診断する医師はいないと思います。血糖やＨｂＡ１ｃなどをみて総合的に診断します。また、腎性糖尿病も時折見かけますが、あまり病的な意味合いは少ない病気です。ただし最近では糖尿病の薬で尿中に糖を出して治療する薬がありますので注意が必要です。

血液検査でわかる事

腎臓は血液から老廃物を濾過排泄する臓器なので、血液を調べると腎臓の働きがどうなっているかがわかります。もし濾過機能が低下していれば、本来は腎臓で排泄されなければならない老廃物が血液中に残るために濃度が上昇します。

代表的なのが血清クレアチニン。これは筋肉が壊れた時に出るたんぱく質の代謝産物で、腎機能が50％以下になると上昇してきます。血清クレアチニンの濃度は腎臓の濾過機能の目安になり、濃度が高いほど濾過機能が下がっている事になるのです。

男性…０・５〜１・１㎎／dl、女性…０・４〜０・８㎎／dlが基準値で、筋肉量の多い男性の方が高めです。

腎不全になると値は１・５㎎／dlを超え、重症では２・４㎎／dl以上、７〜８㎎／dlを超えると人工透析を検討すべき値になります。

最近ではｅＧＦＲ（推定糸球体濾過値）が血清クレアチニンと年齢・性別から簡単に求めることができて、この値が３か月以上60㎖／分以下となれば慢性腎臓病（ＣＫＤ）と診断します。

ほかにも腎不全による貧血は赤血球やヘモグロビンの低下から分かりますし、ネフローゼ症候群で低下する総たんぱくやアルブミンなどが測定され、腎臓病の状態が把握できます。

画像診断でわかる事

尿検査や血液検査で腎機能に問題がある事がわかると、次に画像診断で実際の腎臓の様子を見て調べる事になります。

まずエコー（超音波）によって腎臓の形や大きさ、位置、状態、嚢胞・腫瘍や結石の有無を確認します。エックス線では、やはり腎臓の形、大きさ、位置などがわかるほか、結石の有無やその状態がわかります。

ほかにも必要に応じてＣＴやＭＲＩ、アイソトープ等を使って、腎臓を多角的に調べます。画像診断時に造影剤を使うと、おしっこが作られる過程など腎臓の働きを動的に確かめる事もできます。

腎生検でわかる事

さらに詳しい検査が必要な場合、腎生検によって腎臓の組織を採取し、顕微鏡などで調べます。

方法は、超音波（エコー）で観察しながら局所麻酔をして、背中から針を刺して組織を採取します。痛いのではないかという恐怖で躊躇する患者さんもおられますが、病状をきちんと把握するために、必要な検査です。また麻酔の効果で、ほとんど痛みはありません。

腎臓は血管のかたまりのような臓器なので、穿刺検査は慎重に行われます。出血や感染などのダメージを防ぐため術後は６時間～12時間位は絶対安静が必要になります。

腎臓病とその治療

まず今日本で最も透析導入の多い慢性腎臓病（ＣＫＤ）の３大疾患についてご紹介します。糖尿病性腎症、ＩｇＡ腎症（慢性糸球体腎炎）、腎硬化症の３つです。

これらの病気は、毎年定期健診を受けて、前述のように尿検査、血液検査、画像診断や腎生検などで正確に診断します。早い段階で診断がつけば早期治療につながり、治癒する可能性もありますし、重症化を食い止めることができますので、健診は毎年受けましょう。

しかしこれらの病気は、いずれもはじめは自覚症状がないため、気がつかないうちに進行してしまっているケースが少なくありません。健診を受けていない、あるいは異常値が出ても放置してしまうと、せっかくの治療機会を逃してしまいます。

慢性腎臓病（CKD）の3大疾患

①糖尿病性腎症

なぜ糖尿病で腎症になるのか

ご存じのように糖尿病は血糖値が高くなる病気です。血糖値の血糖とは、我々が食べている食べ物の栄養素のブドウ糖が血液中に出てきたものです。ブドウ糖はエネルギー源として重要な栄養素であり、これが全身の細胞に取り込まれて利用されるために必要なホルモンがインスリンです。このインスリンが不足、あるいは効きが悪い事で糖が血液中にダブついてしまうのが糖尿病です。

ダブついた糖は血管を傷つけ、長い間に動脈硬化が進行します。腎臓でも同様で、毛細血管のかたまりである糸球体の血管も傷み、血液の濾過がうまくいかなくなってしまいます。

正常な糸球体の毛細血管は、血液中のたんぱくなどが漏れ出ないようになっています。腎症で糸球体の機能が壊れると、この調節機能も壊れ、たんぱくが漏れ出すので、たんぱく尿となるわけです。

毛細血管で動脈硬化が進行する原因には、近年注目されているＡＧＥ（終末糖化産物）、つまり糖が血管のたんぱく質に結びついたものも大きく関わっています。糖尿病がＡＧＥを増やし、その結果、腎症を招く1つの原因です。ＡＧＥに関しては第4章で詳しくご紹介します。

たんぱく尿は初期にはごく少量ですが、継続して出るようになると、腎症が相当進行している事を意味しています。

糖尿病性腎症は、我が国の腎臓病の中で増加を続けている代表的な病気であり、人工透析の患者さんを増やしています。

糖尿病の合併症は、3大合併症を含めほとんどが動脈硬化による血管障害です。つまりいずれもAGEが大きく関わっていると考えられます。

糖尿病の病状を知る指標にヘモグロビンA1c（HbA1c）という物質があります。これは赤血球のたんぱくであるヘモグロビンが糖と結びついたもので、AGEの一種です。HbA1cの値が高いと合併症が起きやすいので、日常臨床ではこの値に注目して治療を継続します。

糖尿病性腎症も早期なら治る？

糖尿病性腎症は、アルブミンが検出されない第1期から、進行して透析療法中の第5期まで5段階に分けて考えられています。早期腎症と言われる第2期までに治療を開始すれば、腎臓は正常な状態にまで戻る可能性があるとされます。

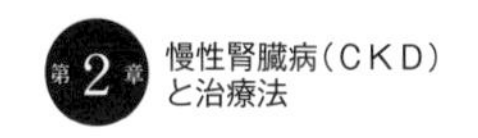

糖尿病性腎症の病期分類

病期	名称	状態
第１期	腎症前期	▷異常なし
第２期	早期腎症期	▷微量アルブミンが尿に出てくる
第３期A	顕性腎症前期	▷尿たんぱくが陽性 ▷腎機能は低下していない
第３期B	顕性腎症後期	▷尿たんぱくが陽性 ▷腎機能が低下
第４期	腎不全期	▷血清クレアニチンの上昇 ▷むくみや腎性貧血などの症状が現れる
第５期	透析治療期	▷腎機能が廃絶

この時期に治療を開始すると腎症の寛解が可能

透析治療が必要

糖尿病の患者さんは定期的に腎臓の検査を行い、腎症の発症を食い止める、発症したら早期の治療機会を逃さない事が重要です。同じ合併症の網膜症も同様です。

治療に関しては、糖尿病本体の治療が重要です。最も重要なのは2つ。血糖コントロールを行い、ＨｂＡ１Ｃを目標値に収める事、そして高血圧を治療する事です。そのための食事療法や生活習慣の改善を行います。具体的な目標は、①血圧は１３０／80㎜Hg以下、②ＨｂＡ１Ｃ６・９％以下、③コレステロール２００㎎／dℓ以下、中性脂肪１５０㎎以下ないしはＬＤＬコレステロール１２０㎎／dℓ以下として患者さんに提示することが大切です。

また、前述の早期腎症から、ある程度たんぱくを制限するといいでしょう。もちろん食事療法はカロリー制限と栄養バランスも必要です。

3期以上の顕性腎症は、糖尿病食にさらに強度のたんぱくやカリウムを制限する腎臓病の食事療法が加わるため、内容を変更しなくてはなりません。腎臓病食は、たんぱくや塩分を控えるだけでなく、カリウムを減らすため野菜をゆでこぼすなど手間が

慢性腎臓病患者では30分程度のウォーキングをすると死亡リスクや人工透析のリスクが減少する

週当たりのウォーキングの頻度	死亡リスクの低下率	透析・移植のリスクの低下率
1～2回	17%	19%
3～4回	28%	27%
5～6回	58%	43%
7回	59%	44%

Chen IR et al.Clin J Am Soc Nephrol,9,1183-9,2014. (改変)

かかるので、とても大変である事が知られています。そうしたセルフコントロールの難しさを考えても、病気の進行を抑える、できれば早期で治す事が理想なのです。

糖尿病性腎症にも有効な運動療法(腎臓リハビリテーション)

以前は糖尿病性腎症の患者さんには、運動療法は勧められないものとされていましたが、今では進行した腎症でも運動は大丈夫です。運動することで腎症の進行が抑えられる事が分かっています。慢性腎臓病全般でも同様のことが言えます。つまり運動療法によって死亡のリスクも人工透析のリスクも下がることが知られています(表)。最近では運動療法によって腎症の進行が抑制されると保険点数もつきますので、注意深く行えばとても有用です。時代もだいぶ変わりました。

薬物療法について

糖尿病性腎症の医学的治療、薬物療法は、患者さんの病状によりますが、基本は血糖値と血圧のコントロールです。血糖降下剤やインスリン製剤、降圧剤などが処方されている事が多いと思われます。

血糖値を下げ、血圧を下げるのは、血管へのダメージを抑え、動脈硬化を抑制するためです。糖尿病も糖尿病性腎症も、共に血管障害です。血糖値は血管の質を変え、血圧は物理的なダメージになります。血管の状態いかんで病状は変わるので、血糖値と血圧のコントロールは非常に大切なのです。ことに血圧の調節にはレニン・アンジオテンシン系阻害薬が必須と言われています。

また血糖値を下げることで血中の糖の代謝をよくし、ＡＧＥが過剰に発生するのを抑える事にもつながります。

糖尿病性腎症をはじめ、慢性腎臓病（ＣＫＤ）全体に有効な薬にクレメジンがあります。これは炭を原材料にしたユニークな薬で、腸内で様々な尿毒症性物質を吸着し、便と一緒に排出してしまう働きがあります。

腸内には、我々が食べた全ての食物が集まり、栄養成分として血液に取り込まれていきます。しかしその中には、腸内の悪玉菌が作り出したインドールやアンモニア、尿素窒素などの有害な老廃物が含まれています。クレメジンはそれらを吸着して排泄するので、有害物質が血液に取り込まれるのを防いで尿毒症の進行を食い止めます。

ただしクレメジンはいつでも使えるわけではなく、一般に腎機能が3割以下になってはじめて処方されます。また処方されても1日の服用量が30カプセル（6g）と多い事や、便秘、食欲不振、吐き気などの副作用があり、スムーズに効果を得にくいという弱点があります。

クレメジン以上の効果をもたらす物質

糖尿病に加えて腎症を合併すると、もともと治療の難しい患者さんはさらに大きな負担を抱える事になります。病状はもちろんの事、治療そのものが負担になり、また治癒が困難である事も重くのしかかります。

そうした患者さんにとって、今非常に大きな力になっているのがあるサプリメントです。それは吸着炭粉末といって、クレメジン同様「炭」を原材料にした物質です。働きも、腸内で有害物質を吸着して便として排泄するというもので、いわばクレメジンのサプリメント版という事ができます。

しかし有害物質の吸着力はクレメジンをはるかにしのぎ、特にＡＧＥを吸着する力はクレメジンの７倍というデータがあります。食品由来のＡＧＥに関しては、腸内でその97・６％、ほぼ全てを吸着する事がわかっています。

これまで様々な試験が重ねられ、様々な角度から検証が行われています。医療現場でも患者さんに使われるようになり、多くの方達の症状の緩和、そして人工透析への移行を防ぐ事に役立っています。その科学的検証は第４章で詳しくご紹介します。

こうした物質が、いわば食品として手軽に利用できるというのは、糖尿病性腎症の患者さんを含む慢性腎不全の患者さんにとって大きな助けになると言えるでしょう。

②ＩｇＡ腎症（慢性糸球体腎炎）

発症後20年で4割が腎不全に。難病指定の自己免疫疾患

慢性腎臓病（ＣＫＤ）の２つ目はＩｇＡ腎症です。この病気は慢性糸球体腎炎の一種ですが、全慢性糸球体腎炎の４割を占め、日本人にはとても多い腎臓病です。年間受療患者数は２万４千人。男性に多く、５才～10才と20代が発症のピークと若い人が罹りやすいようです。

よく小学校の尿検査で、血尿やたんぱく尿が見つかって診断される事があります。しかし自覚症状はほとんどないので、検査で見つかった場合は必ず治療につなげる必要があります。

特徴的なのは、風邪や扁桃炎などに罹って直後に目で見てわかる血尿が出た時には要注意です。一方、急性糸球体腎炎は、罹ってから10日～２週間後に血尿がみられるので区別がつきます。

早期に扁桃腺摘除に加えてステロイドパルス療法を開始すれば寛解するケースも最近では数多く見られます。以前は発症後20年で4割が腎不全になるといわれていた腎臓病です。

扁桃の感染症が原因？

この病気は腎臓の糸球体に免役グロブリンのＩｇＡというたんぱくが沈着し、血尿、たんぱく尿が出て腎機能が低下していく病気です。

ＩｇＡは、本来我々を病気から守ってくれる免疫物質です。またその多くはのどや扁桃の粘膜に多く存在しており、口や鼻から侵入してきた細菌やウイルスと戦う免疫物質です。

それが血液を通して腎臓に流れ着き、敵ではない腎臓組織を攻撃して壊してしまう事が原因だと考えられています。病態から自己免疫疾患の一種だとも言えます。

ＩｇＡ腎症は、長い間特定されず、１９６８年にようやく明らかになった疾患です。

未だに不明な要素が多く、発症に関しても何らかの感染症がきっかけとされています。この感染症は主に扁桃炎であるとされ、扁桃を摘出すると快復するため、そのように考えられています。

しかし扁桃炎になっていない人でもＩｇＡ腎症になる事があるため、そうした人には効果が少ないとも言われています。

他の腎臓病同様、初期にはほとんど自覚症状がありません。

ＩｇＡ腎症の検査には腎生検が必須です。それは腎臓の糸球体にＩｇＡが存在するかどうか確認しなければならないためです。

ちなみに扁桃炎とは昔は通称「扁桃腺」と呼ばれ、扁桃腺が腫れる扁桃腺炎のことでした。しかし扁桃は医学的には「腺（分泌活動を行う組織）」ではないため、正しくは扁桃、扁桃炎と呼ばれるようになりました。

対症療法でしのぐ。尿毒症を改善する

ＩｇＡという免疫物質は、腎臓の糸球体のメサンギウムという箇所に沈着する事がわかっています。メサンギウムは糸球体を支える基盤のような組織で、伸縮する事で糸球体の濾過機能を強めたり弱めたり調節しています。そこにＩｇＡが沈着するわけです。それはわかっていても、ＩｇＡ腎症を根治する方法はまだありません。

そこでこの病気の治療法は、まずステロイド剤などを使って過剰な免疫反応、特に炎症を抑えこむ事になります。

場合によっては扁桃摘出やステロイドパルス療法（ステロイドの大量点滴）を行う場合もあります。扁桃はこの病気の１つのカギを握っているため、この方法で治る人も最近では多く注目されています。腎機能低下のない初期に治療を開始するのがポイントです（図）。

ＩｇＡの過剰な免疫を抑える免疫抑制薬の投与を行う場合もあります。

また腎臓病全般に共通する血圧コントロール、食事療法などは必要です。

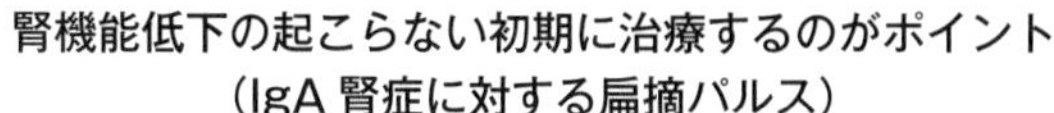

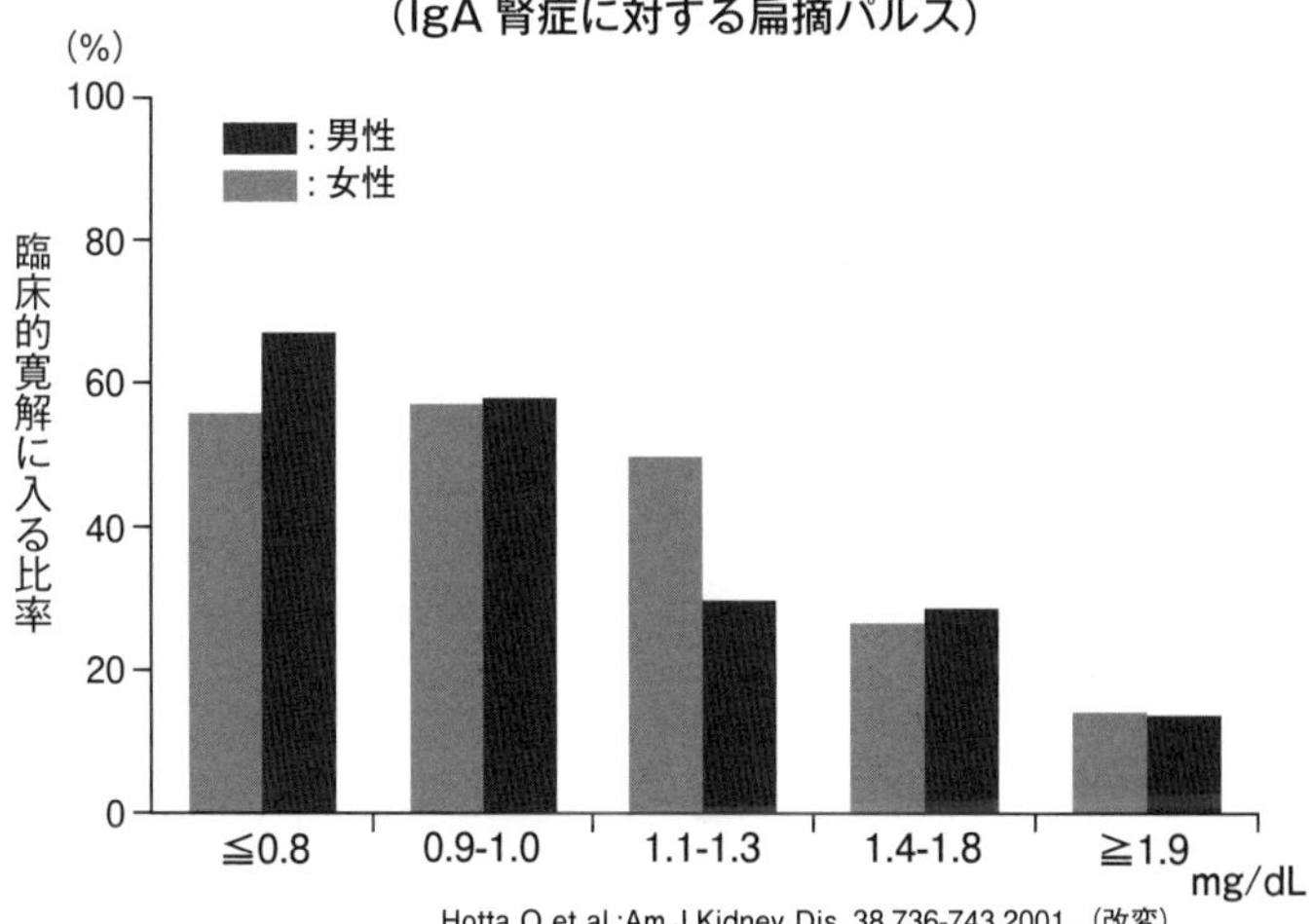

Hotta O et al.:Am.J.Kidney Dis.,38,736-743,2001.（改変）

ＡＧＥを増加させ血管を収縮させるタバコは禁止しなければなりません。

繰り返しますが、ＩｇＡ腎症も、進行すると腎臓の腎機能が低下し、尿毒症につながり、人工透析になります。

腸内環境を整えて免疫を正常化する

ＩｇＡ腎症は、自然治癒ないしは進行しない事もあるものの、その４割は人工透析になるという深刻な病気です。また罹病期間は非常に長く、20年以上の事もあります。

そうした場合に、医学的治療と併用して、前述の吸着炭粉末を使用する事で腎機能の低下を防いでいる方がおられます。医療現場で使っている医師も増えています。

吸着炭粉末の働きは、糖尿病性腎症でご紹介したように、腸内でインドールやアンモニア、尿素窒素などの老廃物を吸着して便と一緒に排出する事です。特に動脈硬化を悪化させるＡＧＥの吸着にすぐれ、腸内でそのほとんどを取り込んでしまう事が証明されています。

また吸着炭粉末のユニークなところは、腸内の老廃物を吸着することで腸内細菌のバランスをとる事です。

腸内細菌は善玉菌と悪玉菌がいて、インドール、アンモニア、尿素窒素といった有毒物質、尿毒症性物質を産生するのは悪玉菌の方です。これら悪玉菌の分泌する老廃物は、さらなる悪玉菌の増加を招き、腸内環境を悪化させます。そして血液を経て、一部は肝臓などで代謝されますが、最終的には腎臓の糸球体で濾過されます。腎機能が低下している場合は残って、大きな負担となっていきます。

ここで注目していただきたいのが、腸内環境と免疫の密接な関係です。腸内細菌の中には、免疫細胞を育て、過剰な免疫反応を抑える細胞を増やすものがいる事がわかっています。そうしたバランスが壊れる事によって、現代人のアレルギーや自己免疫疾患が増えていると言われています。

吸着炭粉末によって腸内環境が整えられれば、善玉菌が優位となり、免疫のバランスにもプラスに作用すると考えられます。実際にアレルギー疾患の代表格である花粉症は、吸着炭粉末によって大きく改善するという報告が多数寄せられています。

こうした事からも吸着炭粉末は、腸内環境を整える力に優れ、アレルギー疾患、ひいては自己免疫疾患であるＩｇＡ腎症に、腸からよい影響を与えうると期待できるのです。

③腎硬化症

高血圧がもたらす腎硬化症。腎臓が硬く小さくなる

慢性腎臓病（ＣＫＤ）の３つめは腎硬化症です。この病気は、高血圧が長く続くこと

によって腎臓の血管に動脈硬化が進行する腎臓病です。

腎臓の糸球体は毛細血管のかたまりであり、常に血圧の影響を受けています。高血圧は血管全てに強い負荷がかかり、糸球体に大きなダメージを与えます。

毛細血管は非常に細く、直径が9～10㎛。1㎛は1㎜の1000分の1なので、太いところでも0・01㎜しかありません。

それほど細い血管に高血圧が続くと血管は傷つき、壊れていきます。動脈硬化も進行します。こうして腎臓の糸球体の血管が「硬く変化していく」のが腎硬化症です。糸球体は加齢によっても減少していくので、高血圧の人は健康な人よりはるかに早く糸球体がダメになっていくと言えるでしょう。

健康な糸球体が減ることで、腎臓の濾過機能は低下していきます。そのため水分やナトリウムなどがうまく排泄されずに体にたまるようになり、さらに血圧が上がってしまいます。

高血圧と腎硬化症は、一方が進むと他方も進行する悪循環の関係にあります。早く気づいて血圧を下げることができれば、糸球体が温存でき、腎機能も維持できるでしょう。しかし他の腎臓病と同じく、はじめは自覚症状がないため、気づいた時には腎機能がかなり低下してしまっている事が多いのです。

糸球体の血管は壊れると再生しないので、放置すればいずれは腎不全に至り、治療法は人工透析という事になってしまうわけです。

新たに人工透析を導入する原因としては、糖尿病性腎症、ＩｇＡ腎症（慢性糸球体腎炎）についで3番目で、全体の1割です。

悪性の腎硬化症＝悪性高血圧症

同じく高血圧が原因となる腎症に「悪性高血圧症」があります。この病気の呼称は色々あって、悪性腎硬化症、高血圧緊急症等とも言います。この病気は慢性腎臓病（ＣＫＤ）の仲間ですので紹介しておきます。

高血圧が原因である点は腎硬化症と同じです。腎硬化症は慢性的な本態性高血圧によって何年～何十年もかかってゆっくり進行するのに対して、悪性高血圧症は急激に悪化するのが特徴です。レニンなどの血圧を上げるホルモンが大量に分泌され、血圧が急激に上がり、腎機能も数日から数週間という短期間に急激に低下します。

高血圧は全身に影響を及ぼしますが、なぜ血圧が急に上がるのかに関しては、まだよくわかっていません。しかし発症後、わずかな間に尿毒症に至るため、命に関わる緊急性の高い病気です。稀な病気ですが20代~30代という若い人にも起こります。

腎硬化症の原因は高血圧ですので、血圧のコントロールは不可欠です。かといって急激に血圧を下げると腎機能も低下してしまうので、慎重に進めなければなりません。

また高血圧で気をつけなければならないのは眼底出血です。網膜は腎臓同様、細かい毛細血管でできています。網膜は高血圧の影響を受けやすく、高血圧によって血管が切れると眼底出血になり、視力障害の恐れがあります。

腎硬化症と網膜の動脈硬化は同時に進行するという認識を持って、どちらかの病気になったら、もう一方もチェックするようにしましょう。

腎臓病の薬物療法

慢性腎臓病（CKD）を含めて、腎臓病の薬物療法には共通の薬が多いのが特徴です。それは腎臓病が最終的には共通の特徴を有する事、つまり濾過機能が低下して尿毒素がたまってしまう事などが多いためです。

腎臓病はある程度進行すると、元通りに治す事ができなくなります。そのため薬物療法も、現状の腎機能の維持が中心であり、悪化や進行を抑止する事が目標になります。

薬物療法の代表格は降圧剤です。高血圧は、腎臓の毛細血管を傷つける直接的な原因ですので、まず血圧は下げなければなりません。よく処方されるのは、アンジオテンシン変換酵素阻害薬やアンジオテンシン受容体拮抗薬です。これらには腎臓を保護する作用があるからです。

「アンジオテンシン」という舌を噛みそうな名前の物質は、本来腎臓が分泌しているレニンというホルモンが作用して作り、血圧を上げる働きを持っています。この物質の働きを抑えるために前述のような薬が処方されます。

ある程度進行した腎不全の場合は、利尿剤も処方される事が多いようです。おしっこの出が悪くなって水分や塩分が体にたまると、高血圧になり心臓に負担がかかります。ただし自宅で管理ができていて、塩分制限がうまくいっておしっこがきちんと出る場合は必要ありません。

腎不全が進行した際に使われる薬剤は体内成分の過不足を調節する目的があるので、カリウムが過剰になると高カリウム血症治療薬、リンが過剰になると高リン血症治療薬が処方されます。前述の黒尾先生によれば、高リン血症に関しては、血中リン濃度が正常範囲にある状態でもリンを排泄するホルモンFGF23が高くなるため、早期にリン吸着薬の投与が必要です。現在検証中ですが、腎不全の進行が抑制できたら素晴らしいことです。

また腎臓病では程度の差はあっても、腎機能の低下とともに多くの患者さんが貧血になります。これも腎臓が分泌していた造血ホルモン（エリスロポエチン）が減ってくるためです。現在ではエリスロポエチンは遺伝子工学で作ることができますので、体で作られるものとほぼ同じものが治療薬として使われています。

ほかに尿毒素を腸で吸着し、血中に流れるのを防ぐクレメジンがあります。本書でも繰り返しご紹介していますが、尿毒素を除去する処方薬はほかにはありません。十分とは言い難い効果や飲みにくさ、便秘などの副作用はありますが、重要な薬であることは確かです。

なお糖尿病性腎症のように、もともとの病気がある患者さんは、基礎疾患の治療が基本になります。糖尿病の場合、血糖値を下げる薬やインスリンなどが処方されます。

免疫を制御する薬

ＩｇＡ腎症などの慢性糸球体腎炎や急速進行性糸球体腎炎やループス腎炎など、腎臓病の中には免疫の働きに異常を来す病気が少なくありません。

免疫は、本来ウイルスや細菌、がん細胞など有害なものを排除する働きですが、対象を間違えて自分自身の成分（たんぱく質等）を攻撃し傷つけてしまう事があります。アレルギー疾患、膠原病などがそれです。腎臓には、血液に乗って病気の原因物質や種々の免疫細胞もたくさんたどり着くため、こうした病気が発生しやすいと考えられています。

こうした免疫の異常による病気に対しては、激しい炎症を抑えるステロイド剤が効果的です。ＩｇＡ腎症に関しては、既に述べたように、扁桃炎が原因の可能性があり、扁摘パルス療法として相当な成果を上げています。

難しい腎臓病の食事療法

腎臓病は食事療法が大切な病気です。たんぱく質や塩分、カリウムやリンなど制限するものが多く、調理に手間がかかり、そのため治療がうまくいかない事もあります。

しかし逆に考えれば、自分でできる食事療法で効果を得られる病気だと考える事もできます。

本書は腎臓病のガイドブックとは少し性格が違うので、ここでは具体的な食事内容に関しては述べません。食事療法のガイドブックは、病院や保健所、栄養指導などで配布されますので、そちらを参考にしてください。ここでは食事療法の根拠、取り組み方、続け方などを考えてみましょう。

腎臓病の食事のポイントは「たんぱく質」「エネルギー」「塩分」の3つです。

まず「たんぱく質」。制限すべき栄養素の代表格です。腎臓病では、たんぱく質の老廃物の代表である尿素窒素、尿酸、クレアチニンなどを濾過排泄する力が弱くなるので、食べ過ぎないようにしなければなりません。尿素窒素、クレアチニンは毒性はありませんが、尿酸は痛風を起こしたり動脈硬化を促進し、尿毒素と考えてもいいものです。インドキシル硫酸をはじめ毒性物質が体にたまると様々な健康問題が起き、尿毒症の原因になってしまいます。

「エネルギー」に関しては、摂りすぎてはいけないものの、必要量はしっかり摂る必要があります。エネルギーは生命維持に欠かせないものであり、心臓も肺も腎臓も筋肉も、活動するためにはエネルギーが必要です。

幸いエネルギーのかたまりのような炭水化物や脂肪は、代謝されると水と二酸化炭素になり、いずれも腎臓の負担にはなりません。水は多すぎると腎臓に負担になりますが、炭水化物や脂肪から出る水は問題になる量ではないので、大丈夫です。

「塩分」制限は、特に、ある程度年配の患者さんにとって難題かもしれません。日本食は、しょうゆや味噌など塩分の多い調味料をたくさん使います。うどん、蕎麦、ラーメンなど麺類の汁も塩分がとても多く、日本人の好む料理です。

しかし塩分は血圧を上げる元凶なので、制限しないわけにはいかないのです。

日本人の平均的な塩分摂取量は11gくらい。腎臓病の患者さんは5～6gくらいが目標になるので、ふだんの半分になります。

専用食品や宅配を活用して負担を減らす

もし腎臓病食を全て自宅で手作りするとなったら、大変な負担であることは間違いないでしょう。腎臓病が進行すると、たんぱく質や塩分だけでなくカリウムやリン等も制限されるようになります。そうなるとカリウムの多い野菜は、刻んでゆでこぼしてグダグダの状態にしなければなりませんし、果物も生はダメで缶詰のものを食べることになります。塩分制限のため汁物や麺類は極力避けて、薄味の料理ばかりになってしまいます。しかし、今ではカリウム含量の少ない野菜が開発されています。

また、科学技術の進歩によって、腎臓病の食事療法の幅は大きく広がっています。例えば調味料。減塩のしょうゆやソースやケチャップ等は、減塩とは思えない工夫がなされ、普通の味と遜色ない仕上がりになるようです。低たんぱくのお米、パン、パスタ、無塩のうどん等、百花繚乱の充実ぶりです。

料理自体が負担だという人のために宅配食事サービスも豊富です。「管理栄養士が作った」「おいしい　飽きない」「メニュー数百種類」などのうたい文句がインターネット上に踊っています。

これらの画像を見ていると、腎臓病でなくても食べてみたい、健康のために減塩食を取り入れてみたいという気持ちになります。

こうしたプロの食材、食事を取り入れながら、無理をせずに、できれば楽しみながら続けるのが、今日の食事療法のコツだと言えそうです。

食事療法と医学的治療の助けとして

医学の発達によって腎臓病の治療も変わりつつあります。特に人工透析の技術や方法は昔とは様変わりしているようです。

それでもいったん壊れたネフロンを元に戻すことはできず、未だに腎機能を回復させることはできないのが現状です。現在の腎臓を温存し、今ある機能をできるだけ維持するのが精いっぱいです。根治療法である腎移植は、日本ではなかなか期待が持てないのも悲しい現実です。

いくら進歩したといっても、やはり人工透析は患者さんの心身にとって大きな負担ですし、生活と人生を少なからず損なう要素になります。何より自由が制限されます。できるだけ人工透析を回避し、自分の腎機能を維持したいというのが患者さんの望みではないでしょうか。

本書でご紹介している吸着炭粉末は、そうした患者さんの望みをかなえる大きな力になりうる物質です。その開発に当たったのは医科大の腎臓の専門医、専門家であり、安全性はもちろん、動物実験、ヒトに対する臨床試験を行い、科学的な検証を繰り返してきました。

吸着炭粉末は、腸内で尿毒素のインドキシル硫酸の元になるインドールやAGE等の尿毒素を吸着し、血液をきれいにして尿毒症を防ぐ性質を持っています。同様の医薬品にクレメジンがありますが、ここまで述べてきたように色々な欠点があり、確かな効果を得るまでには至っていません。

吸着炭粉末は、基本的には同様の働きを持つ、同様の炭由来の製品ですが、尿毒素を吸着する力はクレメジンに勝り、クレメジンには吸着できないＡＧＥをほぼ１００％吸着して便と一緒に排出します。クレメジンの副作用である便秘はなく、むしろ排便をスムーズにするなど、実に有用な働きを持っています。クレメジンと併用している患者さんもおられます。

腎臓に効果があるとするサプリメントは巷に色々ありますが、科学的な検証という点ではいずれも不確かで疑問符がつくものが多いと言えます。その点吸着炭粉末は、開発から検証、医療機関での使用など、どこまでも安心で確かな実績があります。

腎臓病の患者さんは、ガイドラインに示されている標準的治療や食事療法などにまずは取り組んでください。その助けになるものとして、吸着炭粉末は非常に有用なサプリメントだと言えるでしょう。

腎臓病の終着点・腎不全とは

腎臓病が進行し、腎機能が大幅に損なわれた状態が腎不全です。腎不全には回復の見込みのある急性腎不全と、腎機能の回復が見込めない慢性腎不全とがあります。

急性腎不全は、何らかの原因で急激に腎機能が低下するもので、数日で尿毒症に達することもある緊急性の高い病気です。原因は感染症、アレルギー、薬剤、心疾患、前立腺や膀胱の病気など様々ですが、一時的な原因であったり、大元の病気が治れば腎不全自体も回復する可能性は充分あります。

慢性腎不全は、慢性腎臓病（ＣＫＤ）などが何年〜何十年も続き、腎機能が時間をかけてダメになっていった状態です。腎機能が３分の１以下に低下した状態を言い、残念ながら腎機能は元の状態には戻りません。

医学的に慢性腎不全と診断されても、その初期にはまだ自覚症状はありません。進行するにつれて全身の倦怠感、食欲減退、むくみ、貧血などの症状が現れます。最終的には末期腎不全となり、人工透析治療を開始しないと尿毒症で死に至ります。
慢性腎不全イコール人工透析というわけではありません。

尿毒症とは何か

尿毒症という言葉はよく知られています。尿毒症とは、末期腎不全のために腎臓の機能が極端に失われ、血液中の老廃物を処理できなくなった状態です。

本来は尿素窒素、尿酸、クレアチニンなどの老廃物は糸球体で濾過され、尿に排出されます。しかし尿毒症では濾過ができずに体にたまり、血液に乗って全身に回ります。また、最近ではクロトー遺伝子の研究からリンの過剰蓄積も尿毒素として考えてもいいのではないかと思います。過剰なリンがリン酸カルシウムを形成し、それが血管に炎症反応をもたらし動脈硬化症から血管の反応を引き起こす事を黒尾先生達が明らかにしました。

老廃物は有害なものであり、神経症状、消化器症状、貧血、免疫異常などを引き起こします。脳では意識障害が起きたり、眠気、不眠、けいれん、麻痺などにつながり、消化器では下痢や嘔吐、目では網膜症、白内障など多種多様な異常が現れます。

尿毒症の症状として独特なのが、全身のかゆみや呼気のアンモニア臭です。アンモニアは、本来腎臓で濾過され尿として排泄されるべきものですが、それができなくなって血液に乗り、呼気に混じって出てくるのです。

また老廃物の濾過ができないだけでなく、その他の腎機能、例えば血圧を調整するホルモンの分泌や、電解質や水分の調節もできなくなってきます。高カリウム血症は心停止を突然来たす危険な合併症です。塩分貯留により高血圧になり、心不全、肺水腫や脳卒中などの深刻な合併症を起こす事もあります。腎臓病としては最悪の状態であり、治療しなければ昏睡状態になり、死に至ります。

透析療法の今日

末期腎不全となり、腎臓の働きが10％以下にまで低下すると、老廃物が全身を巡って尿毒症となります。こうなると回復の可能性は極めて低くなるため、病院では人工透析療法が勧められます。

人工透析療法には、患者さん自身の腹膜を使いカテーテルをお腹に留置して自宅で行う腹膜透析と、ダイタライザーという人工腎臓を通して行う血液透析の2つがあります。一般的に「人工透析」というと後者を指し、通院で行う患者さんが圧倒的に多いのが現実です。

通院による血液透析の場合、まず自身の血液をダイアライザーにつないで循環させるための「内シャント」を、手術で腕に作ります。通常、患者さんは週3回病院に通い、ダイアライザーで血液を濾過清浄化してもらいます。所要時間が約4時間です。

この治療そのものに痛みはありませんが、健康であれば毎日24時間かかって行っていた腎臓の仕事を、週3回に限定して器械で代行するため、かなりの疲労感や倦怠感を感じるといいます。1回あたり4時間といっても、通院時間を考えると、治療後に仕事をしたり、家事をしたりと普通の生活を送るのは難しいかもしれません。

腹膜透析は自宅でできるので通院の必要はありませんが、実際の治療や管理は結構難しく、継続して行えるのは5～7年と言われています。こうした事から腹膜透析を行っている人は、透析患者の5％以下と少ないようです。

ただ最近は技術の進歩で、血液透析も腹膜透析も以前よりかなり機能が向上しており、生命予後も伸びています。以前は透析になったら余命は5年等と言われましたが、今は10年、20年はざらで、40年以上という患者さんも中には見られます。

自分の腎臓で寿命を全うしたい

人工透析の開始年齢は平均67・8才。ある程度年を取った方が多いので、簡単に生命予後が何年という事はできません。慢性腎臓病（ＣＫＤ）は長く患う場合が多いので、何年、何十年と病気とつき合い、透析に至る患者さんが多いと言えます。

しかし高齢であっても、むしろ高齢であればこそ、最終的に人工透析を行わなければならないのはつらいものです。

高齢であれば逆に、自由に時間を使って海外旅行に行ったり、登山や温泉、趣味を楽しみ、悠々自適といきたいものです。それが週に3日も治療のために時間を費やさなければならないとしたら、生きる気力もなくなってしまいます。

もちろん今の時代は、どこでも人工透析ができるようにネットワークがありますので、旅行先でも治療が可能です。ふだん通院している病院に相談すれば、あるいはインターネットで調べれば、治療が受けられる病院はすぐ見つかるでしょう。また最近では、人工透析患者さんを対象にした（海外も含め）旅行ツアーがたくさんあり、サービス産業の成熟ぶりに驚かされます。

それでも人工透析をしなければならないのと、しなくても大丈夫なのでは生活と人生が全く違ってしまいます。

できれば慢性腎臓病（ＣＫＤ）であっても、人工透析をせずに、自分の時間を自由に使って生活がしたい。それは慢性腎臓病（ＣＫＤ）であっても、そうでなくても変わらないでしょう。

ところが人工透析開始の判断は医師に委ねられており、患者さんはその指示に従う事がほとんどです。

今の時代、どんな病気でも、患者さんが主体的に考え、医師や医療機関を上手に使って治療を進めていく時代です。工夫次第で、慢性腎臓病（ＣＫＤ）であっても、人工透析を行わずに生きていく事ができるかもしれません。そのための方法を、多くの人が探っています。

第3章 腎臓を腸から治す

腸の尿毒素を吸着して排出する物質とは

尿毒素とは何か

腎臓病の患者さんにとって、最も恐ろしいのは尿毒症ではないでしょうか。

本来、腎臓が濾過しなければならない様々な老廃物がありますが、それが排泄できなくなるのが尿毒症です。老廃物は正常な身体機能を著しく損なう物質であり、全身の臓器障害を引き起こします。まさに尿「毒」素です（英語でウレミックトキシン＝uremic toxin、尿毒性物質、尿毒症物質とも言う）。

尿毒素とは単独の物質を指すのではなく、尿毒症症状を起こす物質の総称です。

クレアチニンや尿素窒素、尿酸など、もともと尿と一緒に捨てられていた老廃物はもちろんの事、腎臓が量を調節していたナトリウムやカリウム、リンなども含まれます。適正であれば有用なものも、過剰だと有害になる物質もあるわけです。水、ナトリウムでさえ多すぎればむくみの原因になり、心臓等の臓器にとって大きな負担になります。

あるいは第1章でもご紹介したＡＧＥ（終末糖化産物）のように、最近になって特に注目され始めた物質もあります。

ＡＧＥは「糖化たんぱく」、糖がたんぱく質と結びついた物質です。この物質はたんぱく質、例えば血管等のコラーゲン組織を硬くこわばらせ、本来必要な柔軟性を失わせてしまいます。ＡＧＥは動脈硬化の原因物質であり、腎臓の毛細血管においても同様の現象を引き起こします。また全身の代謝を低下させ老化を促進する物質＝老化物質として大きく取り上げられるようになってきました。

さらに現在、尿毒素の研究、解明が進み、新たな物質の特定、あるいはそうした物質の影響が徐々に明らかになってきました。

また腸内で作られるインドールやアンモニアなどの有毒物質も、腸内環境との関係で注目されています。

こうした物質＝尿毒素を排除する事で、尿毒症に移行するのを防ぐ試みが始まっています。

腸内環境が腎臓に与える影響

尿毒素がどんなものかの前に、尿毒素の一部を産生し、腎臓にとって重要な存在である腸について少し説明させていただきます。

腸という臓器が、ヒトの体全体と健康に与える影響については、以前はそれほど注目されていませんでした。近年、その多彩な働きと、腸にすむ生命体・腸内細菌が身体に与える影響が明らかになり、腎臓にとって最も重要な存在である事がわかってきました。腸の状態が良好であれば腎臓も健康になり、腸に毒素があふれ汚れた状態であれば、腎臓には負担がかかり、病気になりやすい事がわかってきたのです。

そこで今、腸を健康にする事で腎臓を助け、腎臓の機能を保持する方法が検討され始めました。

腸は、食物を消化吸収・排泄するだけの働きをしているのではありません。食物の栄養成分を分別し、必要なものと不用なものに分け、必要なものは吸収し、不用なものは排除し排泄しています。その意味では腎臓の働きと似ています。

その多彩で複雑な働きを把握し、うまく活用すれば、腸を通じて腎臓の健康を守ることもできると考えられます。その一例として、既に腸をターゲットにした腎臓治療の試みが始まっている事をご紹介しましょう。

便秘薬を腎臓病薬に転用？

腸から慢性腎臓病（ＣＫＤ）を治療しようという試みの1つに、ルビプロストンという薬があります。これは便秘症の薬ですが、マウスを使った実験で、腸内環境を整え、腎臓病の進行を抑える事がわかったためです。

腸内環境や腸内細菌と腎臓の関係に着目したのは東北大学と慶応大学の研究チーム。腎臓病のモデルマウスにルビプロストンを投与すると、腸内の善玉菌の減少が抑えられ、尿毒素の一種であるインドキシル硫酸や馬尿酸の血中濃度が低下する事を発表しました。この研究は、２０１５年末、米国腎臓学会誌に掲載されました。

この研究は動物実験であるため、ヒトへの応用にはまだ時間がかかります。

尿毒素のインドキシル硫酸は、慢性腎臓病（ＣＫＤ）を発症、進行させる物質としては、かなり悪性度の高いものです。そのインドキシル硫酸は、もとは腸内細菌（悪玉菌）が生成する有機化合物インドールです。さらに元をたどれば、必須アミノ酸の一種トリプトファンを悪玉菌が分解して発生したものです。

言ってみればインドキシル硫酸は、腸内の悪玉菌が作り出したものであり、腸内環境を改善し、悪玉菌の働きを封じることで生成を抑制する事ができるはずです。腸内細菌のバランス上、悪玉菌をゼロにする事はできないものの、善玉菌が優勢であれば、その害が腎臓や体全体に及ばずにすむのです。

腸で働く腎臓病の薬クレメジン

慢性腎臓病（ＣＫＤ）が増加し、新たな国民病と言われる腎臓病ですが、いったん腎臓の組織が壊れ、糸球体がダメになってしまうと、有効な治療法は限られてきます。特に薬物療法においては、糖尿病や高血圧などの背景となる病気や状態を改善する薬はあっても、腎臓そのものを回復させる薬はありません。

そうした中で、腎臓病の進行を食い止め、腎臓の負担を減らす事ができる薬にクレメジンがあります。

本書でも何度かご紹介していますが、クレメジンは炭でできており、腸の中で様々な物質を吸着します。腎臓病になると、腸の中には有害な尿毒素がどんどん増えていきますが、クレメジンはこの尿毒素を吸着し、便と一緒に排泄します。尿毒素が腸壁から吸収され、血液に乗って全身に回るのを防ぐのです。

クレメジンは１９９１年に承認され、臨床現場で使用されるようになりました。医薬品の歴史としては25年、四半世紀を経ており、効果、安全性共に一定の評価を得ている薬だということができるでしょう。

製造販売している製薬会社のサイトには、その作用として、「尿毒症を改善し、腎不全の進行を抑制し、人工透析療法への移行を遅らせる」とあります。国内で行われた臨床試験でも、慢性腎不全の患者さんにおいて、クレメジンを使用していた人は、プラセボ（偽薬）を使用していた人より、人工透析への移行が遅いという結果になっており、検証も行われていると言えるでしょう。

飲みにくい、効いたという実感が少ない

ただしクレメジンには、少し欠点があります。

まず使用量が非常に多いということ。1日量が6g。カプセルにして30個。3回に分けても1回10カプセル飲まなければなりません。腎臓病の患者さんは、他にも血圧

を下げる薬やコレステロールを下げる薬など、複数の薬を飲んでいる事が多いため、さらに10カプセルを1日3回飲むのはかなり大変です。しかも他の薬の成分も吸着してしまうため、時間をずらして食間に3回飲まなければなりません。面倒でもあり飲み忘れる事が多くなります。

飲みやすいように形状を変えた細粒もありますが、量が多いことは変わらないため、患者さんにとって負担になっています。特に飲み込む力の弱い高齢者にとっては毎日飲むのはつらいため、処方されても飲まない人が少なくないようです。

せっかく尿毒素を吸着する働きがあっても、飲んでもらえないのでは致し方ありません。残念な事です。

専門医・研究者が開発した吸着炭粉末はここが違う

クレメジンには尿毒素を吸着する働きがある事はわかっています。しかし前述の通り飲みにくい事や効果を体感しにくい事などがあって、今一つ力を発揮できずにいます。また副作用として便秘や腹部膨満感が挙げられています。

便秘や腹部膨満感といった副作用は、他の薬であればよくある事です。健康を著しく損なうものではないかもしれません。しかし便秘では、クレメジンの主要な働き「尿毒素を便と一緒に排出する」という作用そのものが無効になってしまいます。

また便秘を改善するために、つまり薬の副作用を防ぐために別の薬・下剤を飲む、というのもいかがなものでしょう。腎臓病の患者さんは、降圧剤や利尿剤、糖尿病であれば血糖降下剤などたくさんの薬を飲んでいる事が多いものです。１つ薬を増やすだけでも負担が増えます。

こうした問題点に応える形で登場したのが吸着炭粉末です。

この物質は、医科大学の腎臓の研究者が開発したもので、素材はクレメジン同様「炭」です。しかし同じ炭でも吸着炭粉末の材料は少し違うようです。

まずクレメジンは石油系炭化水素由来の医薬品です。石油系だからよくないというのではありません。石油は非常に用途が広く加工しやすいので、今でも医薬品や化粧品の材料、あるいは溶剤として盛んに使われています。

しかしもっと高品質な材料、直接食べてもいい素材をということで、食品や医薬品の添加物などの素材になる植物セルロースが選ばれました。材料の段階で安全性が保障されたものです。次章に写真が載っていますが、非常にきめが細かく均質です。

こうして開発された吸着炭粉末は、医薬品のクレメジンと同様に尿毒素を吸着する事がわかりました。そして腎臓病に苦しむ多くの患者さんの症状を緩和し、人工透析への移行を遅らせる可能性がある事がわかってきました。

腸は「第2の脳」。自己判断でほとんどの仕事をする

ここで腸という臓器について少しご説明してみます。

腸は、口、食道、胃と消化されてきた栄養物が、さらに消化・吸収され、不用なものを排泄する器官です。

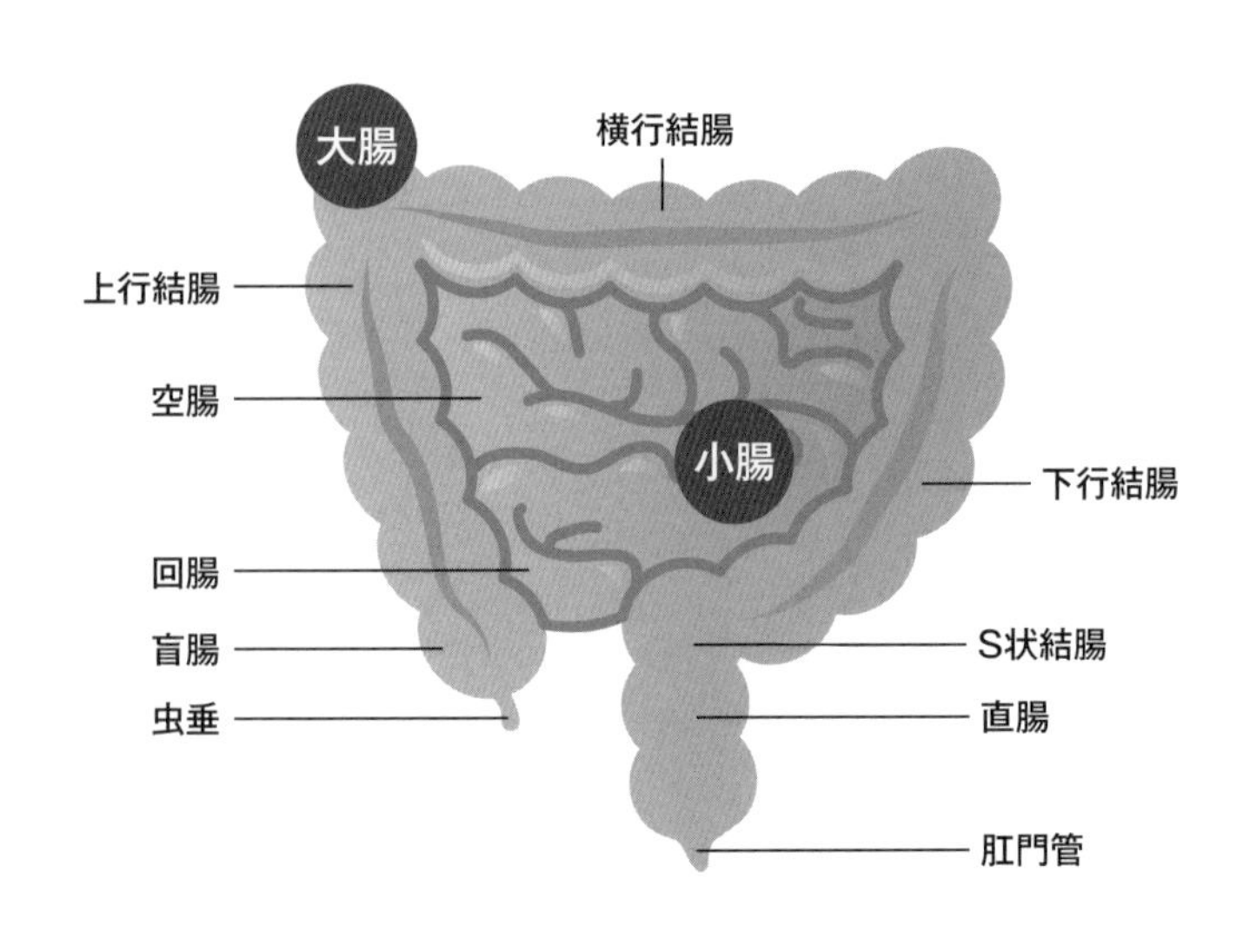

腸は大きく小腸と大腸に分けられます。小腸には、胃で消化された粥状の食物が入ってきます。そこで小腸は自ら膵臓や肝臓に指令を出し、胆汁や膵液の分泌を促します。これらの消化液と食物を混ぜ合わせると、ここでたんぱく質はアミノ酸に、糖類はブドウ糖などの単糖類に、脂質は脂肪酸に分解され、栄養として吸収されていきます。

やみくもに消化・吸収するのではなく、その栄養成分が何であるのか、吸収しても大丈夫かどうかを瞬時に判断しています。まるで全ての栄養物やその他の物質のデータが備わっているかのようです。

こうした作業に脳は関係ありません。小腸

は小腸の判断で食物や栄養成分を分析し、判断し作業しています。「腸は第2の脳」と言われる所以です。

また小腸は人体最大の免疫器官と言われ、体の全免疫細胞の6割～7割がここに常駐しています。もし病原体が侵入したら、ここで免疫細胞が戦って退治し、体内に吸収されるのを防いでくれるのです。こうした働きを腸管免疫といいます。

有害物質を排出する最大の経路は排便

腸で消化吸収された栄養成分の残りは、その下の大腸に送られます。そこでは腸管の壁から水分やミネラル等の成分を吸収して血管に送り、残りを便にして排泄しています。

このように述べると、大腸の仕事はただのゴミ掃除のように思えますが、そのゴミ掃除がいかに重要であるか、ほとんどの人はご存じないかもしれません。大腸が正常に働かなければ、我々はどれほど健康を害し、病気まみれになってしまうかわからないほどです。

大腸には、消化吸収、免疫などの主要な仕事が終わり、処理済みのもの、処理できなかったもの、老廃物や化学物質、消化液、死んだ細胞など消化吸収作業のありとあらゆる残部が到着します。

そうしたものが大腸できれいに処理され、有害なものは無害化され、無害化されないものは不用なものと一緒に便として排泄する事で、我々の健康は保たれています。

体にたまった有害な物質を排出する最大の経路は排便です。

一般的に、体内で発生する老廃物の7割が便、2割が尿、残りが汗、皮脂、呼気、皮膚や髪の毛から排泄されるといいます。実際の比率はそれほど簡単には計算できませんが、主な老廃物は大腸から便で、残りは腎臓から尿によって排出されている事になります。それほど大腸からの排便、排泄は重要だという事ができます。

従って大腸の働きが万全で、有害なものがあまり血液に混入しなければ、われわれの健康問題の多くが解決すると言っても過言ではないでしょう。

逆にこうした働きが滞ると、有害なものが体内を巡り、様々な病気や健康問題につながります。腎臓病、そして尿毒症はその代表的な例です。

腎臓に送られる血液の中には、大腸から吸収された水分やミネラル、その他もろもろが含まれています。従って大腸から血液に吸収されるものが清浄であれば、腎臓への負担は軽くなることは確かです。

大腸にいる100兆個の腸内細菌

消化吸収の最終地点となる大腸ですが、ここには重要な仕事を請け負ってくれる強力な助っ人がいます。ご存じ腸内細菌です。その数はおよそ100兆個（諸説あります）。よく比較されますが、人体の細胞60兆個より腸内細菌ははるかに多いわけです。大きさこそ違いますが、それほど膨大な数の異生物が棲みついているというのは、いかにも不思議です。

こうした細菌たちは、我々の体が生み出したものではありません。全て外から入ってきて棲みついている侵入者とその仲間です。

その中には、健康を守り、病気を防ぎ、老化を防ぎ、元気にしてくれるものがたくさんいます。例えばがんを防ぎ、肥満を防ぎ、感染症を防ぎ、若さを維持してくれる細菌達、いわゆる善玉菌です。

しかしながら腸内細菌の中には、善玉菌とは逆の働きをするものがいます。がんを招くもの、肥満を助長するもの、感染症を拡大し、老化を促進してしまうものも存在します。いわゆる悪玉菌と言われるものです。

さらに状況次第で善玉、悪玉どちらにも変わる日和見菌が存在します。

腸内細菌は大別すると善玉菌、悪玉菌、日和見菌3つの種類に分けられます。それらが同じ種類の菌たち同士で固まって棲み分け、それぞれ色や形が微妙に違うことから、腸内細菌の群れを花畑にたとえて腸内フローラと呼びます。内視鏡で見ると細菌群が叢（くさむら）のようであることから腸内細菌叢（ちょうないさいきんそう）とも呼びます。

腸は弱酸性がよい

善玉菌として有名なのは乳酸菌。ビフィズス菌や乳酸桿菌(かんきん)などがその仲間です。乳酸菌というとヨーグルトやチーズのイメージですが、ほかにもたくさんの食品に含まれています。特に植物性の発酵食品、例えば糠漬けや味噌、しょうゆ、日本酒などにも豊富です。

味噌、しょうゆなどの調味料は塩分が多いものの、最近は減塩のものが多くなっています。塩分表示の減塩食品は使いやすいので、腎臓病の人だけでなくあらゆる人にとって有用です。また日本食に多い乳酸菌はわれわれにとってなじみが深いので、毎日の食事で摂取しやすいという利点があります。

さて善玉菌の働きの1つに、腸内環境を整えることが挙げられます。善玉菌の代表選手である乳酸菌は乳酸や酢酸を作り、腸内を弱酸性にします。善玉菌は弱酸性を好むため、善玉菌が多いほど腸内は弱酸性になり、善玉菌が増えるという好循環になります。

また弱酸性の腸内環境は、食中毒や感染症を起こす細菌の繁殖を防ぎます。

酸性、アルカリ性というと、何となくアルカリ性の方が健康的だと思っている人が多いと思われますが、それはイメージにすぎません。我々の体は臓器によって、また必要に応じて酸性だったりアルカリ性だったりします。大腸は、前述のように弱酸性である方が善玉菌が増え、殺菌力が高まってよい働きをしてくれます。血液は基本的に弱アルカリ性であり、ちょっとやそっとでは酸性に傾くことはありません。皮膚は洗顔料のコマーシャルでおなじみのように弱酸性です。

大ざっぱに言って、体の外側へ行くほど病原体と接触しやすい事から酸性（皮膚）になり、内側であるほどアルカリ性（血液）になると言います。消化器は「内なる外」と言われ、常に外部から入ってくる異物（食べ物等）と接触するために弱酸性というわけです。

悪玉菌が発生させる有毒物質

腸内細菌の中でも、悪玉菌と呼ばれる細菌群が存在します。善玉菌が栄養成分を〝発酵〟させて有益な物質を作るのに対し、悪玉菌が行うのは〝腐敗〟です。

その代表格は大腸菌、ウエルシュ菌、ブドウ球菌などです。これらの菌はたんぱく質を腐敗させ、インドール、スカトール、アンモニアなどの有毒物質を作ります。これらの物質に共通なのは、全て悪臭を放つこと。いわゆる便臭、クサイうんこの臭いを作ることです。

クサイだけなら笑ってすませられますが、これらの悪臭＝有毒性を意味しているので、笑っている場合ではありません。

特にインドール。この物質は、元を正せば食物のたんぱく質です。このたんぱく質は腸管内で分解されて必須アミノ酸のトリプトファンになります。トリプトファンは大腸菌などの腸内細菌によってアルカリ性の有毒物質インドールに変わり、血中に吸収されて肝臓に運ばれます。肝臓ではインドールを代謝しインドキシル硫酸に変え、再び血中に放出します。このインドキシル硫酸が最後に到達するのが腎臓なのです。

有毒なインドキシル硫酸も、健康な腎臓は濾過して尿と一緒に排泄してしまいますが、腎機能が低下しているとそれが難しくなります。そのまま腎臓にたまって、活性酸素をまき散らして炎症を起こします。これにより腎臓の細胞は傷つき、さらに腎機能が低下していくのです（Niwa T, Ise M: Indoxyl sulfate, a circulating uremic toxin, stimulates the progression of glomerular sclerosis.J Lab Clin Med, 12: 96-104, 1994.）。

こうした化学反応が明らかになり、インドキシル硫酸とその始まりであるインドールの有害性が問題視されるようになってきました。

インドール→インドキシル硫酸が心血管病を招く

大腸の悪玉菌が作り出すインドール、その変化したインドキシル硫酸が招くさらに大きな問題は、心臓や脳の血管病です。

腎機能の低下によって、インドキシル硫酸が血液と一緒に体を循環する事によって毛細血管だけでなく大きな血管においても動脈硬化が進行します。腎臓病が腎不全を招く以上に心筋梗塞や脳卒中を引き起こすという理由です。

逆に心筋梗塞など重篤な心臓の冠動脈疾患を発症する患者さんの血液には、インドキシル硫酸の濃度が高いという報告もあります。つまり腎臓病によるインドキシル硫酸の増加は、冠動脈など重要な血管の動脈硬化を進行させ、心筋梗塞などの心血管病を招くと考えられているのです。

動脈硬化は、はじめは血管壁にコレステロール等が付着してプラークができ、内腔が狭くなっていく経過をたどります。すると狭い血管に流れ込む血流の勢いで血圧が高くなり、その圧力によって血管が傷み、硬く劣化してきます。

特に冠動脈などの心血管においては、血管の中に血液の中のカルシウムが付着して石のように硬くなっていきます。これが血管の石灰化で、いわば動脈硬化の終着点です。こうなるともう血管は元に戻りません。CT等の画像診断では、石灰化した血管が白く太くなって見えるのでよくわかります。

こうしたことも含めて、これまでの調査で、インドキシル硫酸の血中濃度が高い慢性腎臓病の患者さんほど生命予後が悪い、つまり寿命が短いことが報告されています。

(Barreto FC, Barreto DV, Liabeuf S, Meert N, Glorieux G, Temmar M, Choukroun G, Vanholder R, Massy ZA: European Uremic Toxin Work Group (EUTox).Serum indoxyl sulfate is associated with vascular disease and mortality in chronic kidney disease patients.Clin J Am Soc Nephrol, 4: 1551-8, 2009.)

そしてこのインドキシル硫酸は、大腸で悪玉菌が作り出しているインドールが変化したものです。もしインドールが肝臓でインドキシル硫酸になる前に、大腸でインドールの状態で便中に排泄する事ができれば、心血管疾患に至る可能性を減らすことができます。大腸でこうした尿毒素、特にインドールを吸着して排泄できればこれにこしたことはありません。

またインドキシル硫酸はクロトー遺伝子の発現を抑えることが報告されており、この方面からも老化や心血管病を促進する可能性が考えられます。

インドールを吸着し、トリプトファンは吸着しない

本書でご紹介している吸着炭粉末は、インドキシル硫酸の大元であるインドールを吸着します。つまりインドキシル硫酸の産生を事前に回避し、腎臓への負担を軽くする事ができるわけです。

また面白い事に、吸着炭粉末は、インドールを吸着しても、その前駆物質であるトリプトファンはあまり吸着しないのです。これは特筆すべきことです。

トリプトファンという物質は今非常に注目されているので、ご存じの方も多いでしょう。この物質は、9つある必須アミノ酸の1つであり、我々の体を構成するたんぱく質を合成する重要な成分です。また特に幸せホルモンと呼ばれるセロトニンや若返りホルモンと言われるメラトニンの材料となることが注目されており、特に現代人にとって欠く事のできない物質です。しかもトリプトファンは体内で合成できないた

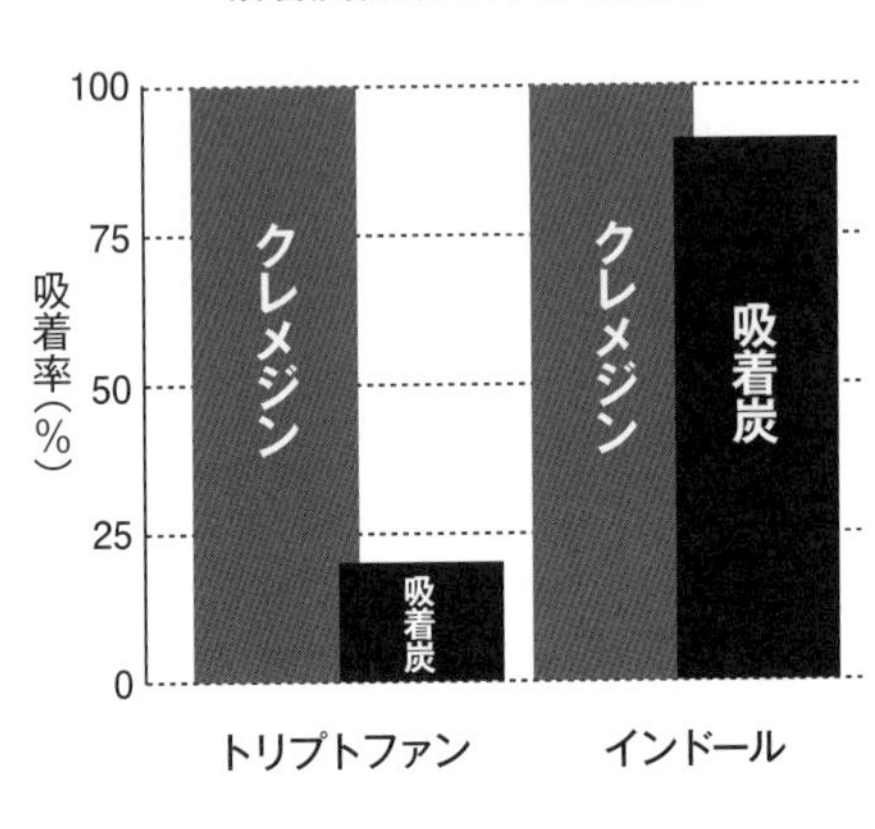

め、食物から摂取するしかありません。

残念な事に医薬品であるクレメジンは、インドールだけでなくこのトリプトファンをたくさん吸着してしまうのです。これもクレメジンの欠点の1つです。

なぜ吸着炭粉末は、トリプトファンは吸着しないのでしょう。

吸着炭粉末は、非常にきめ細かい粒子でできており、吸着できる物質も微粒子のように細かいものです。有毒な物質というのは、総じて分子量が小さく、アルカリ性であるという特徴があります。インドールも同様です。

吸着炭粉末の表面にある官能基というセンサーは、アルカリ性の物質と結びつく性質があるため、インドールを吸着しますが、中性で、比較的分子量の大きいトリプトファンは吸着しないと考えられています。

つまり吸着炭粉末は、物質としての特性そのものが「有害な物質を吸着する」事につながっているわけです。

腸内細菌が作るアンモニアを吸着、除去する

吸着炭粉末が大腸で吸着する物質は多岐にわたります。前述のインドールはその代表格ですが、ほかにも悪玉菌が産生するアンモニアを吸着する働きもあります。

アンモニアは大腸だけでなく、肝臓、腎臓、脳、骨格筋などでも産生されますが、血液中のアンモニアの多くは腸内の悪玉菌によるものだと考えられています。腸内のアンモニアは、インドール同様、食物のたんぱく質や、消化液に含まれる尿素が悪玉菌によって分解されて生成されます。

ありふれた物質ですが、神経毒性があり、神経細胞のエネルギー産生を阻害したり、神経伝達物質の働きを阻害したりします。また脳においては、脳細胞を壊死させ脳症を起こす事もある恐ろしい性質を持っています。

またアンモニアは、炎症を起こして腸壁のバリア機能を壊すため、腸内の有害な物質が血液中に漏れやすくなってしまいます。

腎機能が低下している人、既に慢性腎臓病の方はこうした物資を尿として体外に排出する機能が落ちているので、血液中の有害物質はさらなる負担となります。腸内環境は悪化し、悪玉菌の割合が高まり、さらに有害物質の産生が増え…と悪循環が続く事になります。

この有毒なアンモニアは、本来は主に肝臓で無害な尿素に変えられます。また腎臓でもアンモニアから尿素に変換され、尿になって排泄されます。しかし肝臓や腎臓の機能が弱っていると、アンモニアは有害なまま体内で前述のような害をもたらすのです。

しかし吸着炭粉末は、腸内でこのアンモニアを吸着する事ができます。肝臓や腎臓で生成されたアンモニアは除去できませんが、腸内で吸着する事で血中へのアンモニア放出を防ぎ、結果として血中のアンモニアを減らす事ができるわけです。

そうなればアンモニアによる腎臓への負担は軽くなり、腎機能の低下を防ぐ事が可能になります。

有害性を疑問視される食品の化学合成添加物を除去する

他にも吸着炭粉末は、食品加工に用いられる合成保存料、合成着色料などを吸着し、便と一緒に排出する働きがあります。例えばソルビン酸、安息香酸、亜硝酸ナトリウム、アスパルテームといった物質がそれです。

これらの添加物の名前は、現代人の誰もが耳にした事があるはずです。

少し説明すると、ソルビン酸は細菌の繁殖を抑えて食品の腐敗を防ぐ保存料で、ちくわやかまぼこ、ハム、ソーセージ、漬物やジャム、菓子類などたくさんの加工食品に添加されています。

安息香酸もやはり腐敗を防ぐ保存料として清涼飲料水や栄養ドリンクに添加されています。

亜硝酸ナトリウムはハムやソーセージ等の防腐剤であると同時に、おいしそうな色を維持する発色剤として使用されています。

アスパルテームは人工甘味料であり、カロリーが砂糖の200分の1しかない事から(同量なら甘さは砂糖の200倍)、糖分を制限したい人の甘味料として普及しています。カロリーフリーの清涼飲料水やお菓子類にもたくさん使われています。

これらは厚労省の認可を得ており、直接人体に被害をもたらすものではないと言われています。またこうした添加物がなければ、広く流通する食品の腐敗を防いで安全を確保する事は難しいかもしれません。

ただしその種類はあまりに多く、香料などを加えると認可されているだけで1000種類を超えています。加工食品やコンビニ食を頻繁に食べるような食生活をしている人は、体内にかなりの化学合成添加物を取り込んでいるかもしれません。

またもう少し視野を広げてみると、大きな疑問がわきあがってきます。細菌の繁殖を防ぐ保存料は、腸内細菌に対して影響を及ぼさないと言えるのでしょうか。大腸菌やウエルシュ菌等の悪玉菌は別として、乳酸菌や乳酸桿菌などの善玉菌を抑制してしまう可能性はないのでしょうか。大いに疑問です。

このように多くの不安が指摘されている化学合成添加物ですが、腸から吸収されて血液に入らなければ体に広がることもなく、害は軽減されます。血中に吸収されなければ、腎臓の負担も減ると考えられます。

吸着炭粉末は前述のように、ソルビン酸、安息香酸、亜硝酸ナトリウム、アスパルテームという代表的な化学合成添加物を吸着し、便として排出してしまうので、こうした不安を取り除いてくれると言えるでしょう。

このように吸着炭粉末は、腸内で、動脈硬化や慢性腎臓病（ＣＫＤ）の一因とされる有害な物質を吸着し、排出する働きを持っています。その中でも、吸着炭粉末が最も強力に力を発揮するのはＡＧＥに対してです。

ＡＧＥとは何か、そして吸着炭粉末がどのようにＡＧＥを吸着除去するかについては、次章でご紹介します。

第4章

慢性腎臓病(CKD)と動脈硬化の張本人、AGE(終末糖化産物)を除去する吸着炭粉末

おいしさの成分から動脈硬化の張本人へ

動脈硬化を招く原因として、近年非常に注目されているのがＡＧＥです。ＡＧＥとは、終末糖化産物（Advanced Glycation End Products）の略で、簡単に言うと糖がたんぱく質と結びついた物質の事です。

アミノ酸（たんぱく質の成分）と還元糖（ブドウ糖や麦芽糖など）が反応する現象は、20世紀のはじめごろから知られていました。フランスの科学者メヤール（英語読みでメイラード）が詳しい研究を行ったことからメイラード反応と言います。

もともとは、食品を加熱すると味や色、香りが変化する事から、食品化学の分野で研究されていた現象でした。「肉や卵、パンなどを焼くと、茶色い焼き色がついて香ばしい味と香りが生成される」という現象から〝おいしさ〟を作る化学反応と捉えられていたわけです。

この現象＝糖化現象が、生体にとって好ましくない変化、時として有害な変化だとしてクローズアップされるようになったのは比較的最近の事です。

AGEは終末糖化産物の総称であり、糖やたんぱく質の種類によって色々な化合物に変化します。後で説明するTAGEのようにかなり有毒なAGEもあれば、それほど害のないAGEもあると考えられています。

有害なAGEは周辺の組織に炎症を起こし、細胞を破壊します。また非常に代謝が悪く、いつまでも留まって周囲に悪影響を及ぼし続けます。そのためAGEは一種の老化物質と考えられています。

最悪なのは食品に含まれているAGE

AGEが体に及ぼす影響=糖化現象は、我々の体内で発生するものと、食品由来のAGEによるものとの2つのルートがあります。

体内で発生するルートは、我々が糖質を摂取することから始まります。例えばごはんやパン、麺類などの炭水化物、甘いもの、芋類などの糖質は、消化吸収されると血糖として血液中に出てきます。血糖＝ブドウ糖は、エネルギーとして非常に利用しやすい物質です。そしてその一部が、体内のたんぱく質と結びついて糖化たんぱく質＝AGEになってしまうのです。

例えば糖尿病の検査で知られるヘモグロビンA1c（HbA1c）は、血液成分であるヘモグロビン（たんぱく質）が血液中の糖と結びついたAGEの前駆物質です。ご存じのようにHbA1cは、赤血球に含まれるたんぱく質であり、赤血球寿命は120日もあるので、過去1～2か月の血糖値を推し量るのに便利な存在です。

しかし我々の体に悪影響を及ぼすという点では、このように体内で生成されるAGEより、食事に含まれているAGEの方がはるかに有害である事がわかってきました。食事に含まれているAGEは、調理、加工、保存の過程で既に糖化が進行し、複雑に変化していいます。分解しにくく、代謝しにくく、たんぱく質を硬く劣化させてしまいます。

これまでの研究で、糖化たんぱく質AGEが我々の健康に及ぼす影響として、動脈硬化、糖尿病及びその合併症、アルツハイマー病、白内障、そして本書のテーマである腎臓病の発症や悪化が指摘されています。

コラーゲンがＡＧＥ化して動脈硬化を起こす？

前述の通り動脈硬化とは、血管の内側に脂質などが付着してプラークを作り、血管の内腔を狭くして血流を悪化、あるいは血管を詰まらせる現象です。また血管そのものも硬くこわばり、柔軟性がなくなっていきます。

動脈硬化が起きている血管の病変部分には、ＡＧＥが蓄積していることが確認されており、ＡＧＥが血管のたんぱく質を変質させ、硬化させていると考えられています。

我々の体は水分を除けば、半分はたんぱく質、残り半分は脂質、あとはわずかなミネラルやビタミン等でできています。筋肉、皮膚、骨等はたんぱく質でできており、血管もほとんどがたんぱく質です。さらに血管は内膜、中膜、外膜の三層構造になって

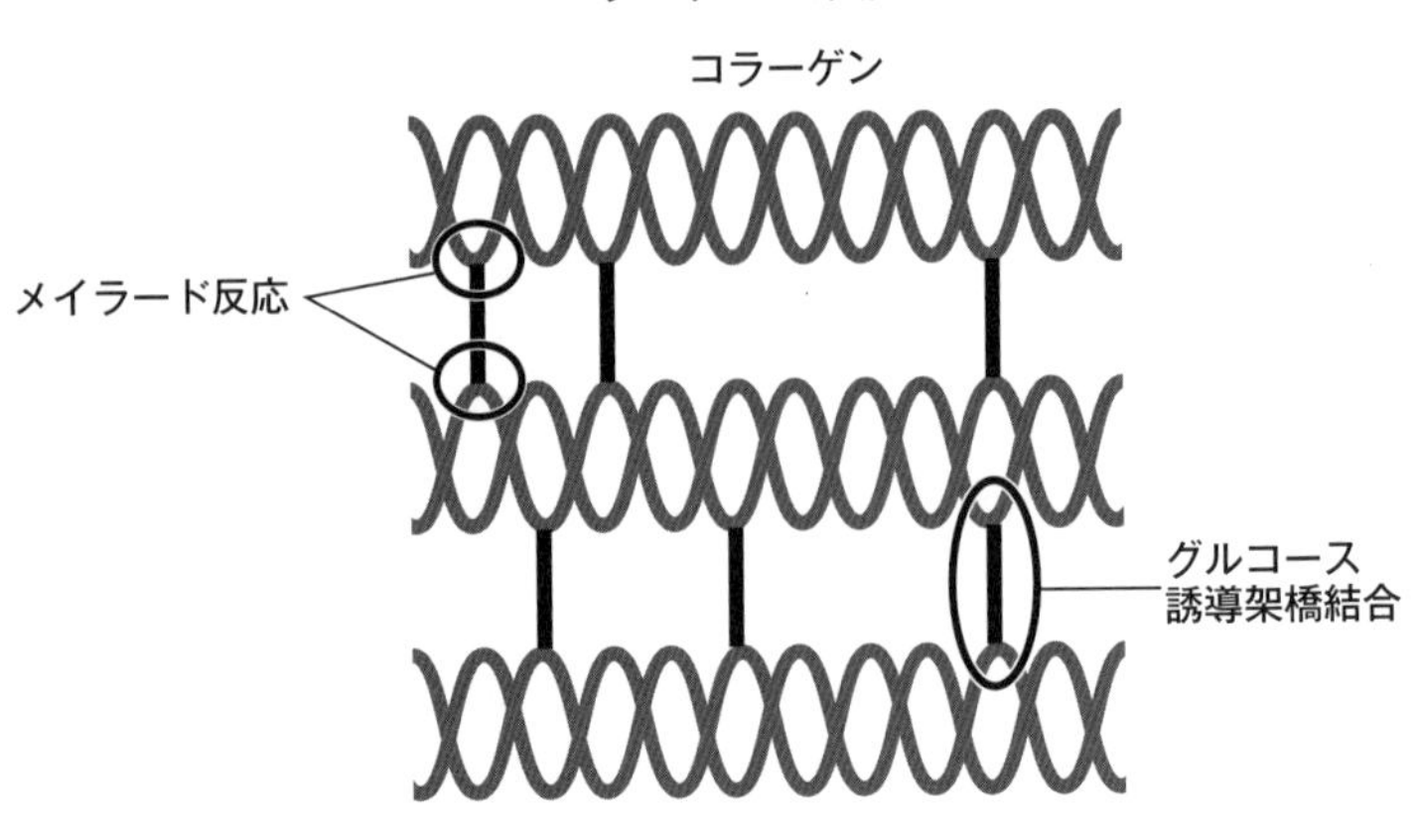

おり、たんぱく質の中でもコラーゲンが多く含まれています。

コラーゲンは血管のしなやかさや強度を担う物質なので、これによって血管は伸縮して血圧や血流の変化に対応する事ができるのです。しかし糖がコラーゲンと結びつくと、柔らかいクッションのような構造のコラーゲン同士が硬く固定されてしまいます。これを架橋構造と言い、コラーゲンの柔軟性がなくなって硬くなってしまうのです。

これが血管における動脈硬化の構造とメカニズムです。

ちなみにAGEは血管で発生すれば動脈硬化ですが、お肌で発生すればハリがなくなり、しわやたるみ等になります。また代謝が悪く、いつまでもお肌の表面に居座るため、ターンオーバー（新陳代謝）を妨げてメラニン色素の沈着を促し、シミになってしまいます。まさにAGEは老化物質、目に見える老化現象につながるわけです。

腎臓の毛細血管を傷めつけるAGE

動脈硬化は腎臓の毛細血管でも起きています。動脈硬化が進行すれば腎臓の血管内が狭くなり、次第に血圧が高くなっていきます。すると血管は傷つき、血管のかたまりである腎臓の働きが低下し、腎臓病を招きます。

すると血液の濾過がうまくいかなくなり、濾過してはいけないたんぱく質や血球が原尿と一緒に漏れ出すようになります。これが腎臓病の典型的な症状であるたんぱく尿です。

腎臓においては特に、糸球体など腎機能の中枢である毛細血管に動脈硬化が起こるため、次第に濾過機能が低下していくだけでなく、腎臓の基本単位であるネフロンがつぶれて死んでいきます。その様は、ちょうど「電球が1つ、また1つと切れていく」ようだと表現されます。

腎臓は右と左で1つずつ、各100万個のネフロンが集まってできています。慢性腎臓病（CKD）では、このネフロンが少しずつ死んでゆき、腎不全と診断される頃には、6割、7割が死んでしまっています。そして、それでも自覚症状はほとんどないのがこの病気の特徴です。

腎臓の血管を傷めつけるのは、腎臓でできたAGEだけではありません。腎臓には、全身の老廃物を回収し、浄化しなければならない血液が流れ込んできます。この老廃物の中には、食品由来のAGEがたくさん紛れ込んでいます。

AGEはそのままでは濾過されません。そこでいったんペプチド等の小さい分子に分解されてから濾過されるのですが、全てのAGEを分解することはできず、一部はそのままネフロンの周辺に付着すると考えられています。ここでもAGEは周辺の組織を傷つけ、腎機能を低下させる原因となってしまいます。

腎臓はＡＧＥの排出を担う臓器でもあります。しかし処理能力には限界があり、処理しきれなくなったＡＧＥは腎臓にたまって腎臓病の原因になってしまうのです。

経口摂取したＡＧＥは糖尿病性腎症のリスクファクターになる

ＡＧＥが腎臓病の原因になることは、以前から指摘されていました。１９９７年米国科学アカデミー紀要（ＰＮＡＳ）※には、経口的に摂取したＡＧＥが糖尿病性腎症のリスクファクターとなることが記載されています。

この研究では、正常な腎機能の糖尿病患者を対象に、ＡＧＥの多い食事（高ＡＧＥ食）を食べたグループとＡＧＥの少ない食事（低ＡＧＥ食）を食べたグループを比較しました。

その結果、高ＡＧＥ食においては、血液中のＴＮＦ - α（腫瘍壊死因子）やＣＲＰ（Ｃ反応たんぱく）、糖化ＬＤＬ（糖化したＬＤＬコレステロール）などが増加しており、炎症反応が起きている事を示唆していました。逆に、低ＡＧＥ食を食べたグループではこうした反応は起きませんでした。

こうした研究から、糖尿病性腎症の進行には食事由来ＡＧＥが関与していると考えられるわけです。

※米国科学アカデミー紀要（ＰＮＡＳ）…米国科学アカデミー（ＮＡＳ）の正式機関誌。生物学、物理学、医学など自然科学全領域にわたりインパクトのある論文を掲載しており、世界でも最も引用の多い、多角的な科学ジャーナルの1誌。

ＡＧＥをキャッチする受容体ＲＡＧＥ

腎臓病をはじめ様々な病気や老化現象を引き起こすＡＧＥですが、我々の体内には、このＡＧＥをキャッチしてしっかり結びついてしまう受容体が存在している事がわかっています。

その名称はＲＡＧＥ。ＡＧＥと結合する受容体（receptor）なので、ＡＧＥの前にＲをつけてＲＡＧＥ（receptor for AGE）です。

ＲＡＧＥは血管の内膜の細胞からフックのように突き出していて、血流に乗って流れてきたＡＧＥをキャッチします。ＡＧＥとＲＡＧＥが合体すると、細胞内に対して過剰な、あるいは間違った信号が送られるようになり、細胞は正常な働きができなくなってしまいます。腎臓においても、ＡＧＥが血管内のＲＡＧＥと合体すると炎症を引き起こし、腎機能を低下させてしまう事が確かめられています。

しかもＡＧＥが多くなると連動してＲＡＧＥも増加し、ＡＧＥ・ＲＡＧＥ結合による反応がさらに進行していくのです。

特にＡＧＥの一種であるＴＡＧＥ（Toxic AGE）は、ＲＡＧＥと結びつくと激しい反応を起こし、活性酸素を発生させ血管を傷つけます。糸球体は硬化し、正常な濾過ができなくなり、尿細管が線維化するなど、ＴＡＧＥは腎臓の病態の全てに関わるとされています。

そしてこの毒性の強いＴＡＧＥは、食品由来のＡＧＥの摂りすぎで代謝のバランスがくずれることでできやすくなっていると指摘されています。

参考：深水圭ら：ＡＧＥｓ受容体〝ＡＧＥｓと老化〟山岸昌一（編）．2013; 105-113. メディカルレビュー社（東京）

食品由来ＡＧＥとは何か

我々が食事として食べるものの中には、既にＡＧＥがたくさん含まれたものがあります。それは、食べる段階で既にＡＧＥ化しているもの、糖とたんぱく質が一緒に高温で加熱されたものです。

ＡＧＥを象徴する食べ物としてよく登場するのがホットケーキ。小麦粉や砂糖（糖質）、卵と乳製品（たんぱく質）、それらが加熱されメープルシロップ（糖質）がとろりとかかった食品です。あのこんがりキツネ色の焼き色、香ばしい甘い香りこそＡＧＥの正体です。

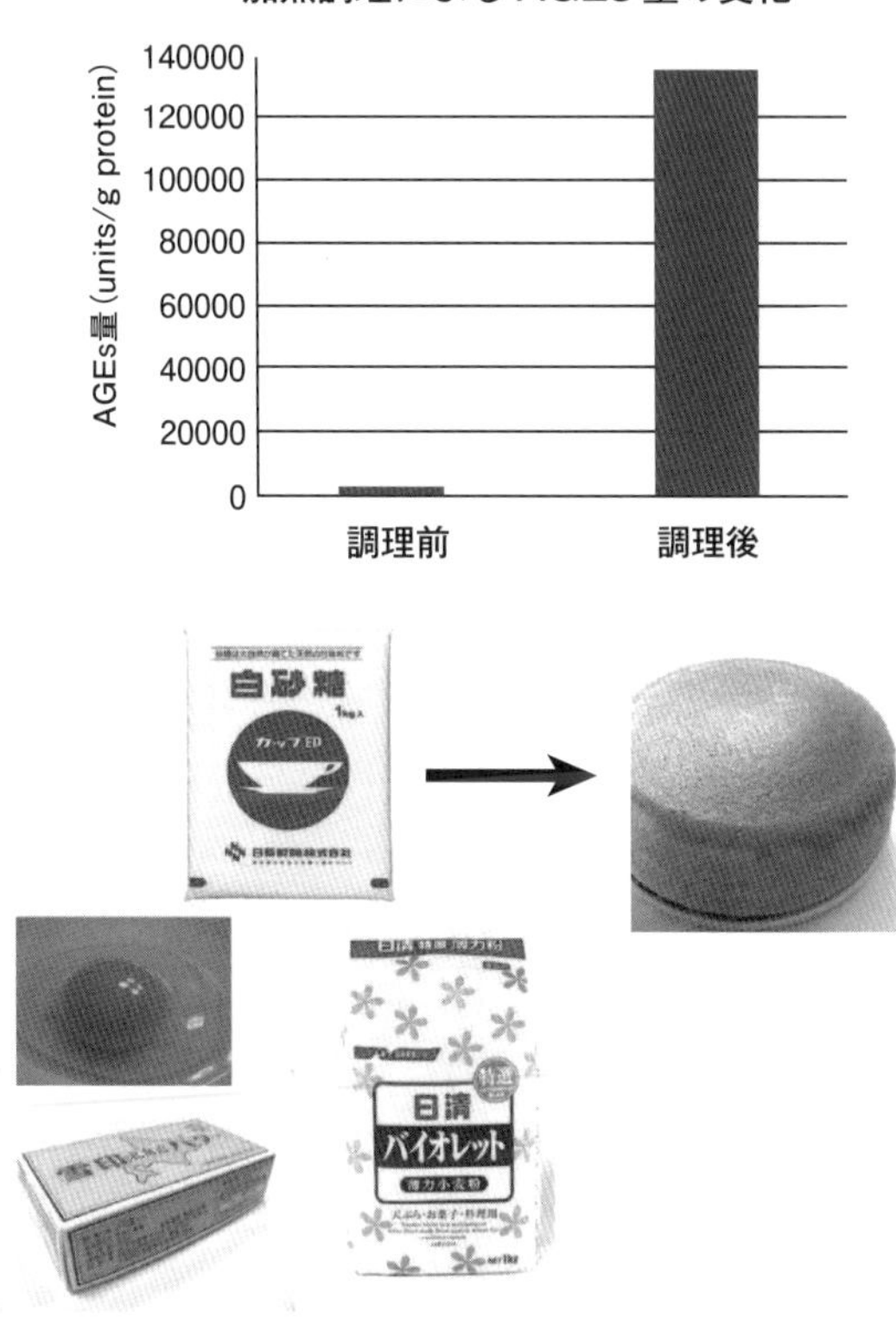

例えば鰻。鰻（たんぱく質）に甘辛いタレ（糖質）をつけてこんがり焼いて、白いごはん（糖質）にのせたかば焼き。あの甘辛いたれと香ばしい香りもまたＡＧＥそのものです。

他にもバタートースト、ケーキやクッキー等のお菓子類、トンカツ、唐揚げ、ステーキ、焼き鳥など高温で揚げたり、焼いたり、炒めたりした動物性食品も同様です。こんがり香ばしく焼けた部分にＡＧＥが多く発生しています。

最近最も問題視されて

いるＡＧＥ食品は、子供が大好きなフライドポテトやポテトチップス。油で揚げたじゃがいもには、アクリルアミドというＡＧＥ類縁物質が発生しており、発がん性が指摘されています。

カギは「加熱」。長時間・高温が一番増える

ＡＧＥ発生のカギとなるのは「加熱」です。特に高温で長時間加熱するという調理加工が、化学反応として一番ＡＧＥを増やします。加熱しなければ、ＡＧＥはあまりできません。

調理において一番よくないのが、高温の油で揚げる方法です。特にこんがりキツネ色に揚げる唐揚げやフライドポテト、ドーナッツなどが最もＡＧＥを発生させます。次いで「焼く」→「煮る」→「ゆでる」→「生（なま）」の順でＡＧＥの発生量が少ないと考えていいでしょう。従って同じ鶏肉でも唐揚げより蒸し鶏、焼き餃子より水餃子、

フライドポテトよりポテトサラダ、焼き魚よりお刺身という選択の方が、ＡＧＥの発生量は抑えられます。

もちろん健康のためにこうした調理法を徹底する事がよいかどうかは、その人次第です。ＡＧＥだけが有害なわけではないので、考えるべき事はたくさんあります。ただＡＧＥがなぜ発生するか、防ぐにはどうしたらよいかを知っておく事は有意義だと言えます。できる範囲で自分の食事に取り入れてゆく事ができるからです。

ＡＧＥを作りやすい糖は何か

ＡＧＥの原因物質の１つである糖。「糖」と一口に言っても、色々な種類があります。ちょっと考えただけでも砂糖、グラニュー糖、三温糖、あるいはブドウ糖、果糖。健康によいとして登場したキシリトールやオリゴ糖、またでんぷん、炭水化物も糖の仲間です。

食品に含まれるAGEsの量

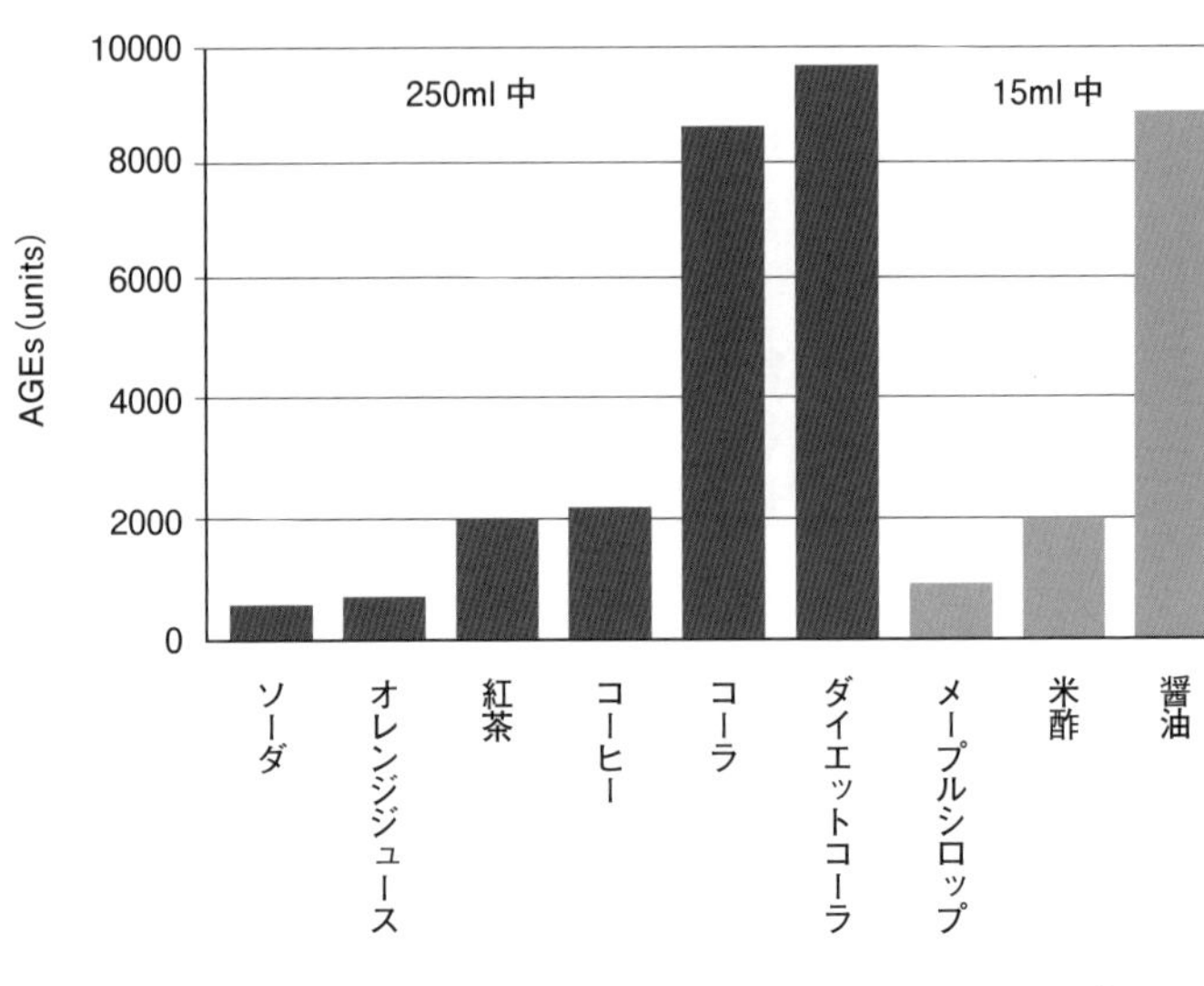

これまでの我々の認識では、精製した白砂糖は不自然で不健康であるとか、同じ糖でも果糖の方が消化がいい、キシリトールは虫歯にならない等といった情報はありました。しかしAGEに関していえば、こうした情報はあまり意味がありません。

例えば果糖は果物に含まれている糖ですが、食後に血糖値を急上昇させないことから健康的な糖だと考えられてきました。しかしAGEを作りやすいという点では、果糖は白砂糖よりはるかに問題が大きいのです。

果糖からはAGEの中でも毒性が強いTAGE（Toxic AGE）が作られる事がわ

かってきました。TAGEは、前述の細胞表面にある受容体RAGEに結合して毒性を発揮します。TAGEとRAGEの結合は、様々な健康トラブルを引き起こします。

例えば、日本における失明原因のトップである糖尿病性網膜症や、人工透析の原因の第1位である糖尿病性腎症も、TAGE・RAGE結合が原因だと考えられています。さらに老化に伴って増加する、がんや認知症にも関係していると見られています。

果糖は加工されて清涼飲料水にたくさん含まれています。果糖であることを意識せずに、現代人はたくさんのTAGEを摂取しているのです。

また、意外なのは、カロリーが低い、あるいはほとんどカロリーゼロの人工甘味料がAGEを発生しやすい事です。

食べ物ではありませんが、嗜好品であるタバコもAGEが非常に多く含まれています。これはタバコの葉に含まれる糖やたんぱく質が、加熱加工する際にAGE化するためと考えられています。さらに喫煙時には火をつけて煙を吸うわけですから、二重にAGE化し、肺から吸収される事になります。

食品由来AGEは糖化毒（グリコトキシン）である

AGEについてもう少し説明させてください。

AGEは終末糖化たんぱくの総称であり、たくさんの種類が存在します。現在AGEに関する研究が進んでおり、新たな物質の発見や生成過程、特性、有害性が明らかになりつつあります。

食品由来AGEが特に危険な理由として、生成過程が複雑で繰り返し糖化が進むことが挙げられます。

食品は調理、加工、保存が行われ、その過程で既に糖化反応が進んでいます。特に含まれる糖の種類によっては毒性の強いAGEが発生し、加工過程で繰り返し糖化が進むなど、構造や重なり方がどんどん複雑になっていきます。

既に述べましたが、加熱調理、加熱加工によって、AGEの類縁物質であるアクリルアミドなどが発生する食品もあります（フライドポテトやポテトチップスなど）。アクリルアミドは直接または間接的にＤＮＡに変化を与える遺伝毒性や発がん性などの有毒性が指摘されていますが、ありふれた物質でもあるため、農水省や厚労省も対応に苦慮しているようです。

食品由来のＡＧＥに関する実験や研究は世界中で行われており、論文の発表も盛んです。

ヒトを対象とした試験からは、尿毒症との関連性が指摘されています（Foerster A, et al.：Biochem Soc Trans, 2003; 31: 1383-1385.）。他にも糖尿病性腎症の患者さんの場合、健常者に比べて血液中にＡＧＥがたくさん放出される事（Koschinsky T, et al.：Proc Natl Acad Sci USA, 1997; 94: 6474-6479.）や、食事から血中に移行するＡＧＥは、腎症を有する糖尿病患者の方が健常者より多い事なども報告されています。

このように食品由来のＡＧＥは、健康にとって問題であり、特に慢性腎臓病（ＣＫＤ）にとっては有害である事がわかってきました。

こうした事から食品由来ＡＧＥを、グリコトキシン（glycotoxin ＝糖化毒）と呼ぶようになっています。

食べてしまったAGEを除去する

動脈硬化を悪化させ、腎臓病の原因の1つでもあるAGE。これをなるべく食べないようにすれば、多くの健康問題が回避できる事になります。

ただしあまり神経質になって食事をしているとストレスになります。ストレスは万病の元です。たとえAGEの摂取がほとんどゼロになっても、ストレスで常にイライラしていると、血管は収縮し、免疫力が低下し、自律神経のバランスが狂ってかえって健康を害する事も考えられます。

AGEはなるべく摂取しないようにする事も重要ですが、食べてしまったAGEを除去できれば、その被害を事前に防ぐ事ができるはずです。

AGE研究は今まさに世界中で盛んになってきたところで、これまで様々な成果が上がっています。

本書でご紹介している吸着炭粉末も、ＡＧＥ研究の1つの成果として誕生しました。その働きは、腸でＡＧＥを吸着し排便によって排出するというユニークなもので、血中にＡＧＥが放出されるのを防ぐ事ができます。

吸着炭粉末があれば、多少食事によってＡＧＥを取り込んでしまっても、血管に取り込まれる事なく全身にＡＧＥがまき散らされる事はありません。もちろん腎臓にも到達しません。

食品由来のＡＧＥのほとんどを腸内で吸着・除去する

ここまでご紹介したように、腸内で老廃物を吸着する医薬品にクレメジンがあります。この薬にもＡＧＥを吸着する働きがあります。また本書でご紹介している吸着炭粉末にもＡＧＥを吸着する働きがあります。

この2つのＡＧＥ吸着力を比較したのが次のグラフです。

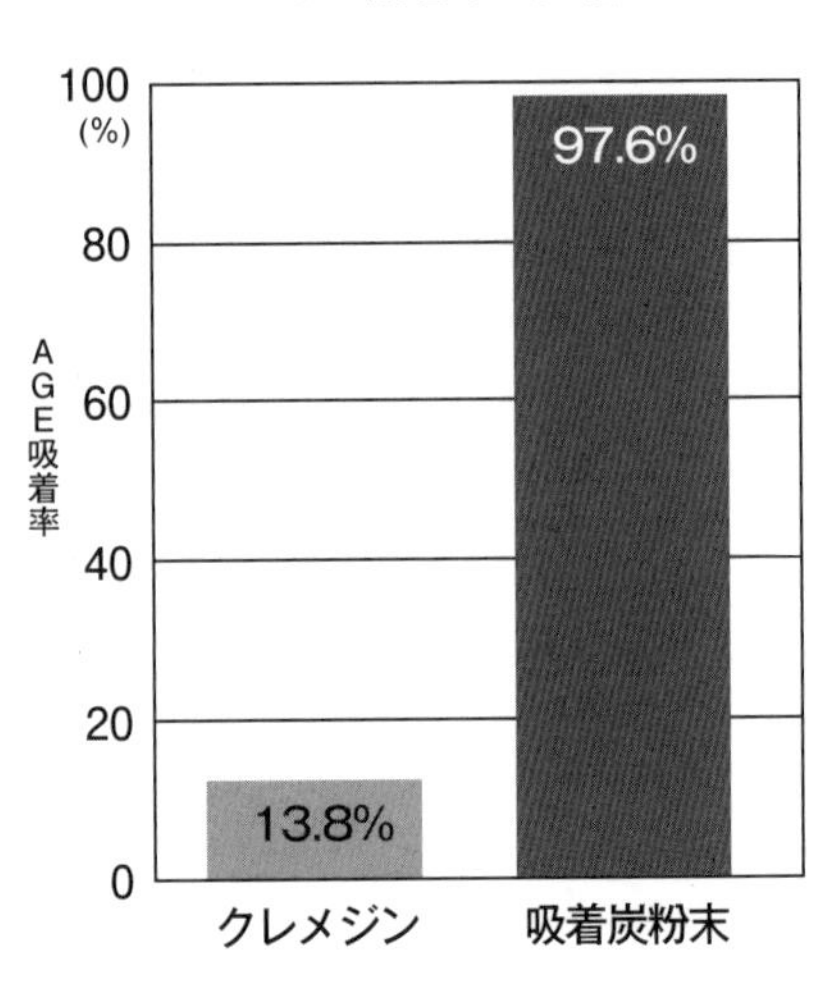

クレメジンと吸着炭粉末のＡＧＥの吸着活性を比較した試験では、クレメジンが13・8％なのに対し、吸着炭粉末は97・６％と約7倍という結果になりました。ほとんど全てのＡＧＥを吸着していると言っても過言ではありません。

クレメジンは医薬品なので、使用するにはまず腎臓病として医師の処方がなければ使う事はできません。しかし吸着炭粉末はあくまで食品なので、誰でも自由に使用する事ができるのが大きな特長です。

尿毒素ＡＧＥを１００％近く吸着する物質はこれまでなかったので、実に画期的な物質だという事ができるでしょう。

腸内環境を整えて慢性腎臓病（ＣＫＤ）の進行を防ぐ

第３章でご説明したように、吸着炭粉末は、腎臓の動脈硬化を招くインドキシル硫酸の大元であるインドールを吸着します。

また神経毒性を持つアンモニアや、腸内細菌への影響が懸念される化学合成添加物を吸着し、便と一緒に排出してしまいます。

特に動脈硬化の原因であり、腎臓の毛細血管をダメにしてしまう食品由来のＡＧＥを排泄してしまう働きは、他に例がありません。

こうして腸に押し寄せる有害な物質や悪玉菌が生成する尿毒素などを除去することは腸内環境の悪化を防ぎ、善玉菌優位の健康な腸内環境につながると言えるでしょう。

しかし吸着炭粉末は、その強力な吸着力によって、我々の体にとって必要な物質まで除去してしまう恐れはないのでしょうか。

幸いにしてこの点も問題はありません。吸着炭粉末がアルカリ性のものを選択的に吸着する性質がある事は既にご説明しました。必須アミノ酸のトリプトファンを吸着しない事も既に述べました。従って中性のもの、酸性のものには反応しないのです。例えばカリウム、リン、鉄などのミネラルは中性なので、吸着されない事が確かめられています。

慢性腎臓病（ＣＫＤ）に代表される腎臓病は、ある程度進行すると、ダメージを受けて壊れた組織は元に戻りません。後は進行を抑え、人工透析への移行を遅くするほかはないのが現状です。その「進行を抑え、人工透析への移行を阻止する」のが、今日、まだまだ難しいのが現状です。

吸着炭粉末は医薬品ではありませんが、幸い医薬品ではできない働きがあります。医薬品の持つ副作用や欠点を補ってあまりある作用を発揮しています。

３か月で花粉症症状がほとんど消えた

腸内環境の改善は、動脈硬化や慢性腎臓病（ＣＫＤ）を予防・改善するだけではありません。これまで吸着炭粉末を使用した人の中で、高い確率で改善したものにアレルギー疾患の花粉症があります。

花粉症の人６００人に吸着炭粉末を飲んでもらう試験では、投与後３週間で67％の人が、鼻水、鼻づまり、くしゃみ、目のかゆみなどの症状が「改善した」と答えました。

このことは吸着炭粉末によって腸内環境が整い、アレルギー反応の暴走が抑えられたと推測されます。

腸はヒトの免疫システムの要であり、全免疫細胞の６割以上が主に小腸に常駐しています。また腸内細菌の中には、アレルギー反応を抑える免疫細胞（Ｔレグ細胞）を強化する物質を分泌する細菌がいます。そうした細菌が腸内で増え、活発に活動

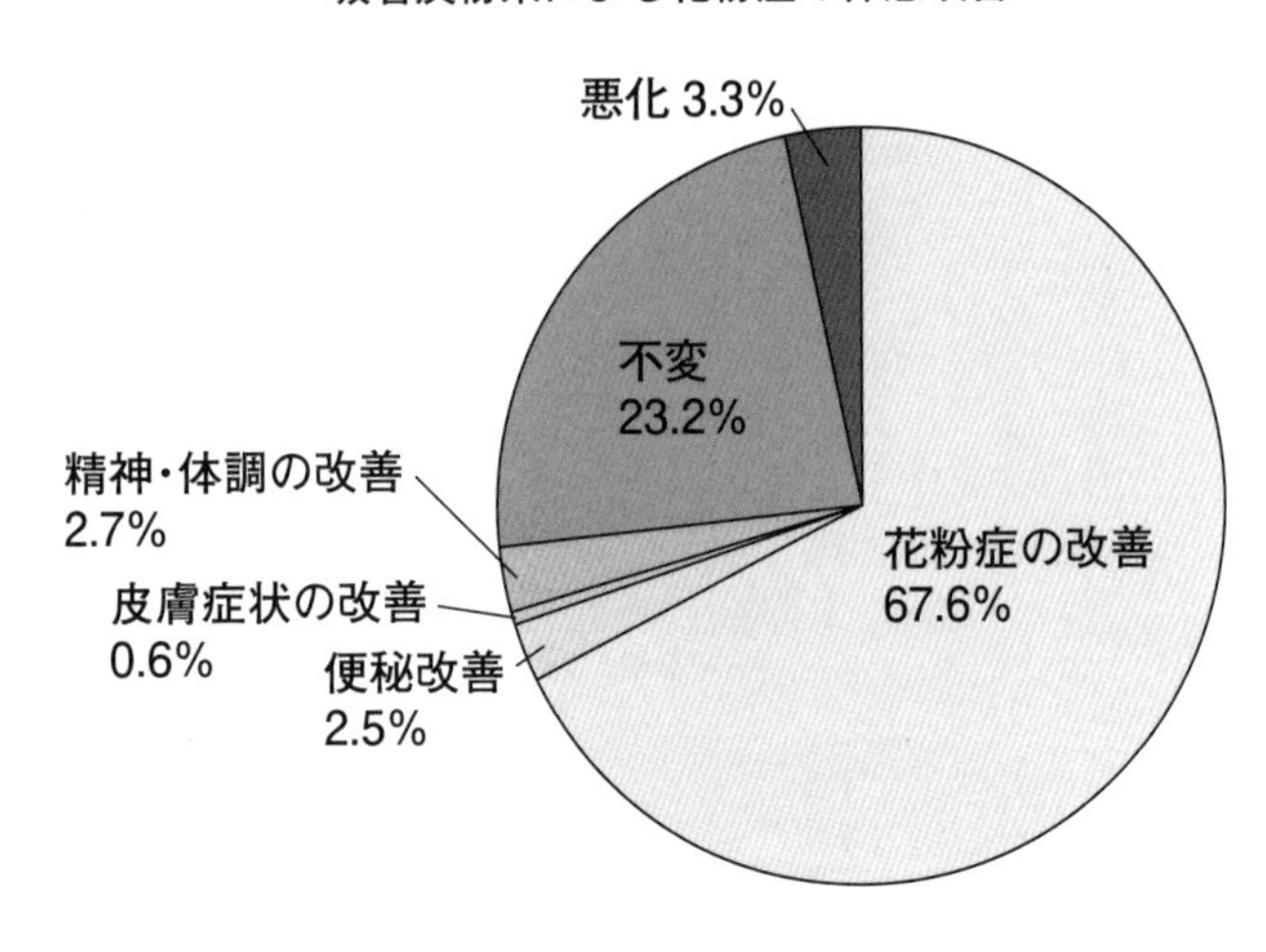

する事で免疫細胞の働きは安定し、過剰な免疫反応は治まると考えられます。

吸着炭粉末は、腸内で悪玉菌が作るインドールやアンモニア等を吸着し排出してしまうので、その結果、善玉菌が増えやすくなり腸内環境が整います。そうして花粉症などのアレルギー反応は治まっていくようです。

吸着炭粉末服用後、うんちのｐＨは酸性に？

腸内で老廃物を吸着して排出してしまう吸着炭粉末ですが、服用後、腸内がどのように変化したかを調べる方法があります。それは服用した人の便を調べることで、ｐＨ、つまり酸性度を調べたデータがあります。

酸性、アルカリ性を測るのがｐＨ（ぺーハー）です。7が中性、それより小さくなるほど酸性が強く、7より大きくなるほどアルカリ性が強くなります。腸の中に善玉菌が多いと、乳酸や酢酸がたくさん分泌され、腸内は酸性になります。腸内は酸性の方が殺菌作用が強くなり、悪玉菌は増殖できなくなります。

グラフを見ると吸着炭粉末を服用した2名はｐＨが下がり、酸性に傾いていったことがわかります。すなわち吸着炭粉末によって、腸内環境がよい方向に変わったと言えるでしょう（ただし吸着炭粉末は「炭」ですので、便の色自体は黒っぽくなります）。

吸着炭粉末による便のpHの変化
（酸性に傾いた）

28歳男性 服用前
服用後
49歳男性 服用前
服用後
5.6 5.8 6 6.2 6.4 6.6 6.8

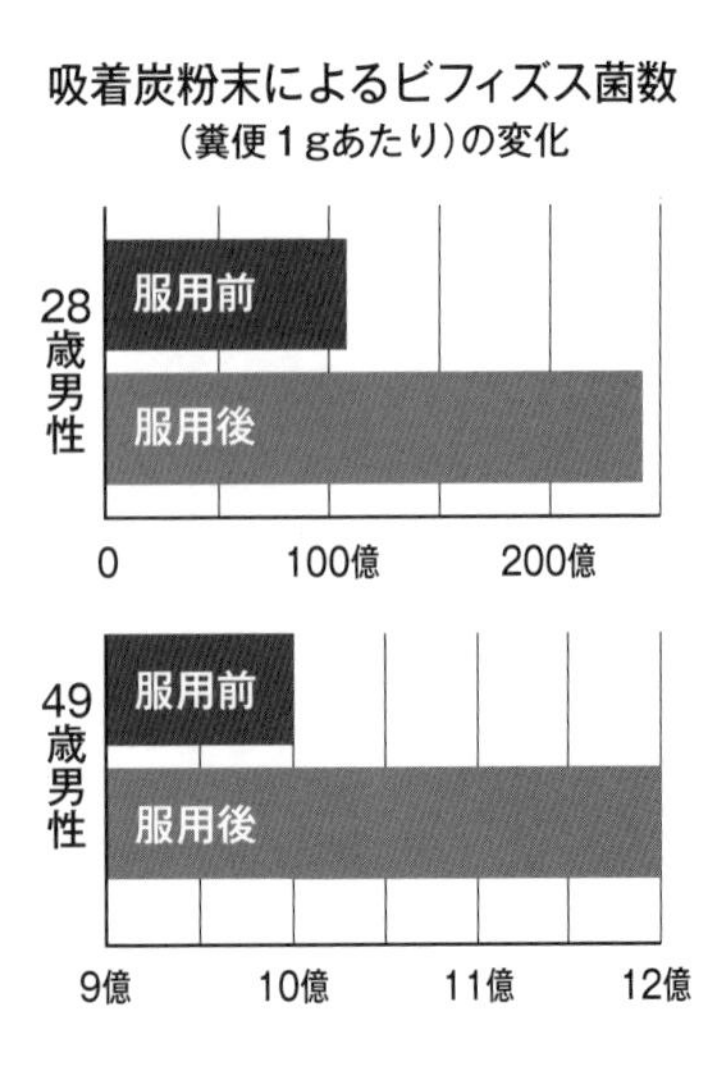

吸着炭粉末を服用することで腸内環境がどう変化したかは、便中の善玉菌を調べることで推し量ることができます。グラフでは2人ともビフィズス菌が増加しており、善玉菌が増えて腸内環境がよくなったと言えるでしょう。

特に49才男性においては、ビフィズス菌が飛躍的に増えている事がわかります。

吸着炭粉末とはどんな物質か

昔から炭は人間にとって特殊な性質を持っていました。燃やして暖房に使ったり、水に入れて浄化剤にしたり、脱臭剤や殺菌剤としての用途もあります。炭は表面に無数の細かい穴が空いており、それが様々な物質を吸着することから、幅広い用途で利用されてきました。

今日では、目的に応じて化学的、物理的に加工した活性炭が使用されており、材料も竹やヤシ殻、サトウキビなどの植物、石油、石炭などの鉱物、珍しいところでは獣骨や血液など動物性のものもあります。

昔から医療用の炭剤もあり、やはり有毒物質の吸着や除去に使われる解毒剤として使用されています。腎臓病の薬であるクレメジンも、石油系の炭から作った薬用吸着剤です。

本書で動脈硬化や慢性腎臓病（ＣＫＤ）の予防や改善に有効だとして紹介している吸着炭粉末も、同じく炭でできた吸着剤の一種です。

そのスタートは実際にクレメジンを処方していた医科大学の腎臓病の医師・研究者によるものです。クレメジンの効果や弱点に首をひねっていた専門家達は、同じく経口吸着材として吸着炭粉末に注目し、その健康効果を検証しました。その結果、吸着炭粉末には、クレメジンとは異なる毒素吸着力がある事がわかったのです。

「食べる炭」は本当に食べても大丈夫か？

ここ数年続く「炭ブーム」で、竹炭や備長炭などを消臭剤に利用する人が増えています。製薬メーカーからも加齢臭を除去する石鹸や洗剤、毛穴がきれいになるシャンプーなどが発売され、炭を混ぜた布製品も豊富です。

しかし炭の粉末が入ったケーキやキャンディ等のスウィーツやおせんべい、麺類等の食品や、ダイエット効果のある「食べる炭」等はどうなのでしょう（イカスミはもともと食べ物なので除外して）。竹炭や備長炭などを粉砕しただけの「食べる炭」に至っては、少々不安視する声も上がっています。医療用に製造されたものは別として、それ以外の炭を食べても大丈夫なのでしょうか。

前述の通り、一口に「炭」といっても、材料や加工法は千差万別。見た目は真っ黒で違いがわかりませんが、それが何でできているのか、わかっている人はあまりいないのではないでしょうか。

竹炭、備長炭というと天然の植物を加工しているのだから、食べても大丈夫だろうと思っている方もいるかもしれません。例えば青汁のようなイメージでしょうか。でもその竹はどこに生えていた竹なのか、成分は明らかにされているのか、農薬や有害重金属などの汚染などはないのか、どのような加工が施されているのか、きちんと検証され、表示されているのでしょうか。

例えば普通の木炭や竹炭には、カリウム、リン、カルシウム、マンガン、亜鉛などの微量金属が含まれています。汚染ということではなく、それがこうした植物本来の成分なのです。

微量金属の含有量は生産地や土壌によって大きく異なるため、「ミネラルだから健康的」とは決して言えません。多すぎれば有害ですし、飲用する人の健康状態によっても変わってきます。特にカリウムやリンなどを制限されている腎臓病の人には、こうした炭は危険と言っても過言ではないでしょう。

そもそも日本には、食品添加物としての炭という分野はあっても、「食用の炭」という分野はありません。一体誰がこうした製品の安全性を確認しているのか、心配にならないでしょうか。

安全性が極めて高い炭を素材に

本書で紹介している吸着炭粉末は、現在の肥大化した炭ブームとは無縁であり、医

高純度結晶セルロースと吸着炭粉末

左：高純度結晶セルロース
右：吸着炭粉末

学、薬学の専門家や研究者らによって開発された物質です。

まず素材に関しては、医薬品や食品に使われる「高純度結晶セルロース」が使われています。その元をたどれば植物性の繊維であり樹木です。例えば錠剤を固める素材と言えばおわかりでしょう。白くて無味無臭のパウダー状のもので、薬用成分を固着し安定させる素材です。用途からしても極めて均質で安全性が高い事がわかります。

天然自然素材の炭は前述のように成分が一定でなく、汚染の可能性が払拭できません。そもそも食用として作られていないので、素材としては不適格なのです。

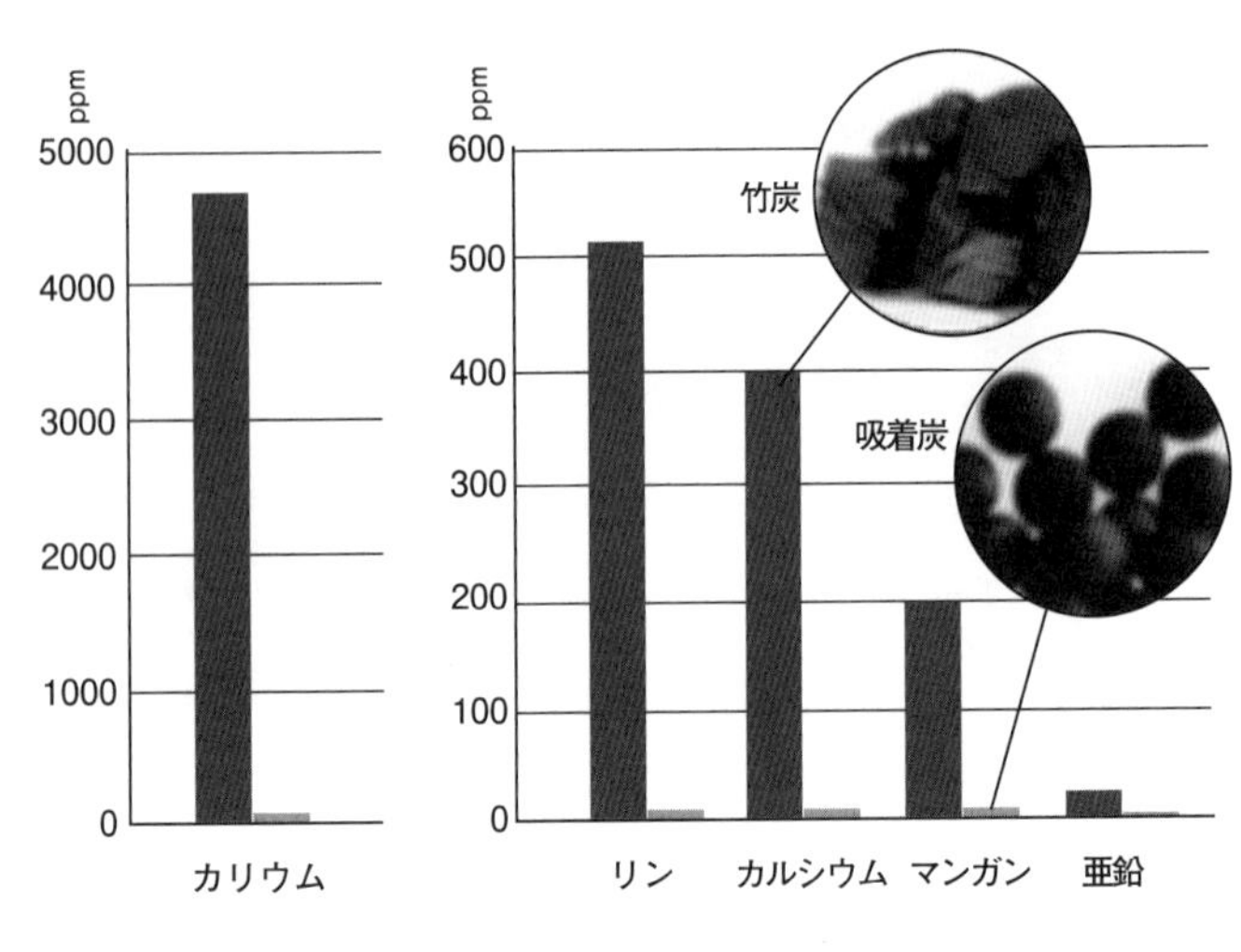

吸着炭粉末においては微量金属の含有量も確認済みです。含有量は極めて低く、飲用する人の体に影響が出る事は考えにくい量です。吸着炭粉末は、有毒物質を吸着する事が目的であって、ミネラル補給剤ではありません。

物理的にも絶対の安全性を追求

活性炭の加工には、従来は薬品処理、あるいは水蒸気による800℃以上の高温焼成といった技術が使われていました。しかしこの方法では処理に使った薬剤の残留や有害物質残留の可能性が残ります。

従来炭との表面構造の違い

竹炭

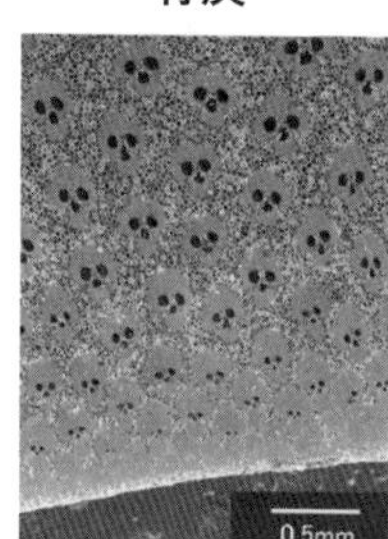

備長炭

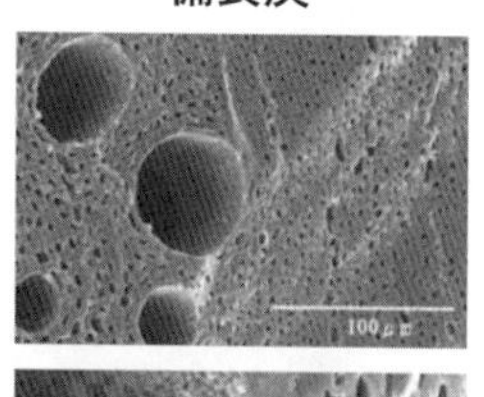
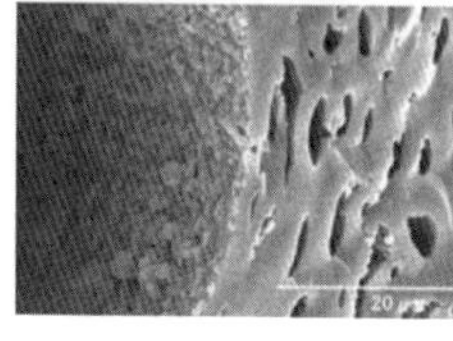

吸着炭

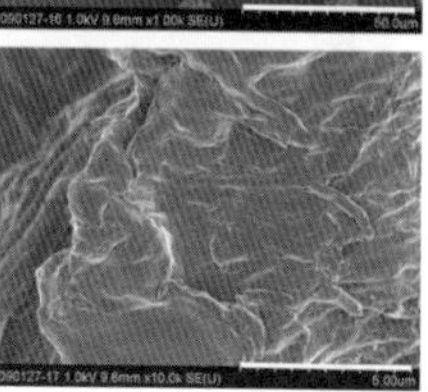

吸着炭粉末は、薬品や水蒸気を使わず、衛生的な専用の電気炉で１０００℃以上に加熱する特殊製法で炭化して作られており、有害な残留物は発生しません。

またでき上がった吸着炭粉末は、従来の活性炭とはかなり形状も違います。写真で見るとわかる通り、表面構造が大きく異なります。

竹炭も備長炭も、拡大してみると鋭利なかけらが多く、大きさもバラバラです。口から飲み込んだ場合、粘膜などを傷つける可能性を拭いきれません。一方、吸着炭粉末は表面がつるっとしており、周辺を傷つける心配がありません。物理的にも安心安全な物質である事がおわかりいただけるでしょう。

成分の安全性については、日本食品安全センター等で試験を受けて確認されており、大腸菌などの病原体はもちろんの事、ヒ素やカドミウム、鉛、水銀などの有害な重金属、セシウムやヨウ素などの放射性物質、発がん物質なども検出されていません。

「炭ブームとは無縁」と述べましたが、こうしたブームを知っていればこそ、開発者たちは安全性には万全でなければならないと考えたようです。

吸着炭粉末が吸着するもの、吸着しないもの

吸着炭粉末の吸着特性についての試験をご紹介します。試験管内での試験ですので、ヒトの腸内とは少し異なります。

吸着炭粉末が吸着することが確認されている物質

ＡＧＥ（尿毒素・終末糖化産物）
尿素（尿毒素）
クレアチニン（尿毒素）
インドール（尿毒素）
インドキシル硫酸（尿毒素）
アンモニア（尿毒素）
ソルビン酸（食品保存料）
安息香酸（食品保存料）
亜硝酸ナトリウム（食品保存料・色素）
アスパルテーム（人工甘味料）
ノナネール（加齢臭物質・40代以上）
ペラルゴン酸（加齢臭物質・30代）

吸着炭粉末が吸着しないことが確認されている物質

アルブミン
ナトリウム
カリウム
リン
鉄
塩素

吸着炭粉末が必須栄養素を吸着するリスクはないか

吸着炭粉末を服用した場合、尿毒素だけでなく、健康にとって必要な栄養素を吸着する事はないか、という不安があります。

そこでラットを使い、「通常の餌のみを与えた場合」と「通常の餌に吸着炭粉末（ヒトの推奨量の5倍、及び50倍量）を加えたものを与えた場合」で体重や行動、毛並みなどに違いがないかかどうかを調べた動物実験があります。試験期間は28日間です。

まず「必要な栄養素」が定義され、それらの栄養素の欠乏が招く健康問題を次のように設定します。

貧血（ビタミンB6、ビタミンB12、葉酸、コバルト、銅、鉄、リジン、ビタミンC、ビタミンE、ビタミンK）

成長・体重（ビタミンB3、ビタミンB5、ビタミンH、セレン、モリブデン、亜鉛、

ロイシン、バリン、スレオニン、ヨウ素、フェニルアラニン)
肝機能(メチオニン、コリン)
脂質代謝(コリン)
血糖値(マンガン)
行動(クロム、マンガン、リン、カリウム、トリプトファン、イソロイシン)
皮膚・毛並み(ビタミンB_{12}、ビタミンB_1、硫黄)

雄のラットを対照群(餌のみ)、餌と吸着炭粉末100mg/kg、餌と吸着炭粉末1000mg/kgの3つのグループに分けます。28日間それぞれに餌、あるいは餌と吸着炭粉末を連続投与します。グラフはAが摂餌量(g)、Bが体重(g)です。

この結果から、吸着炭粉末の投与による栄養の欠乏はないと考えられます。雌のラットでも同様の実験を行いましたが、やはり吸着炭粉末の投与による栄養の欠乏はないという結果になりました。

吸着炭粉末の28日間連続経口投与期間中のラットの摂餌量と体重の推移

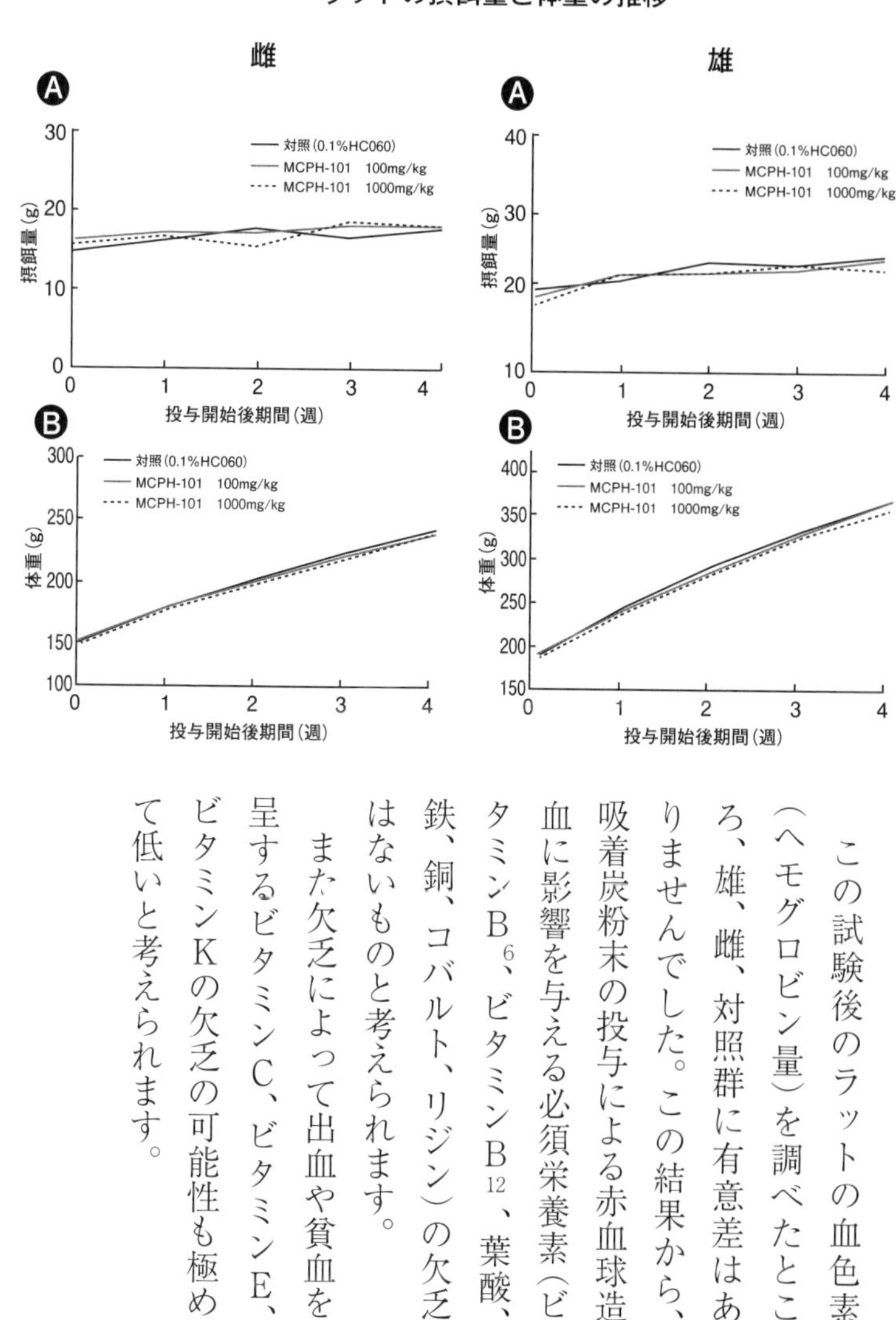

この試験後のラットの血色素（ヘモグロビン量）を調べたところ、雄、雌、対照群に有意差はありませんでした。この結果から、吸着炭粉末の投与による赤血球造血に影響を与える必須栄養素（ビタミンB_6、ビタミンB_{12}、葉酸、鉄、銅、コバルト、リジン）の欠乏はないものと考えられます。

また欠乏によって出血や貧血を呈するビタミンC、ビタミンE、ビタミンKの欠乏の可能性も極めて低いと考えられます。

28日間連続経口投与後の血色素（ヘモグロビン）量

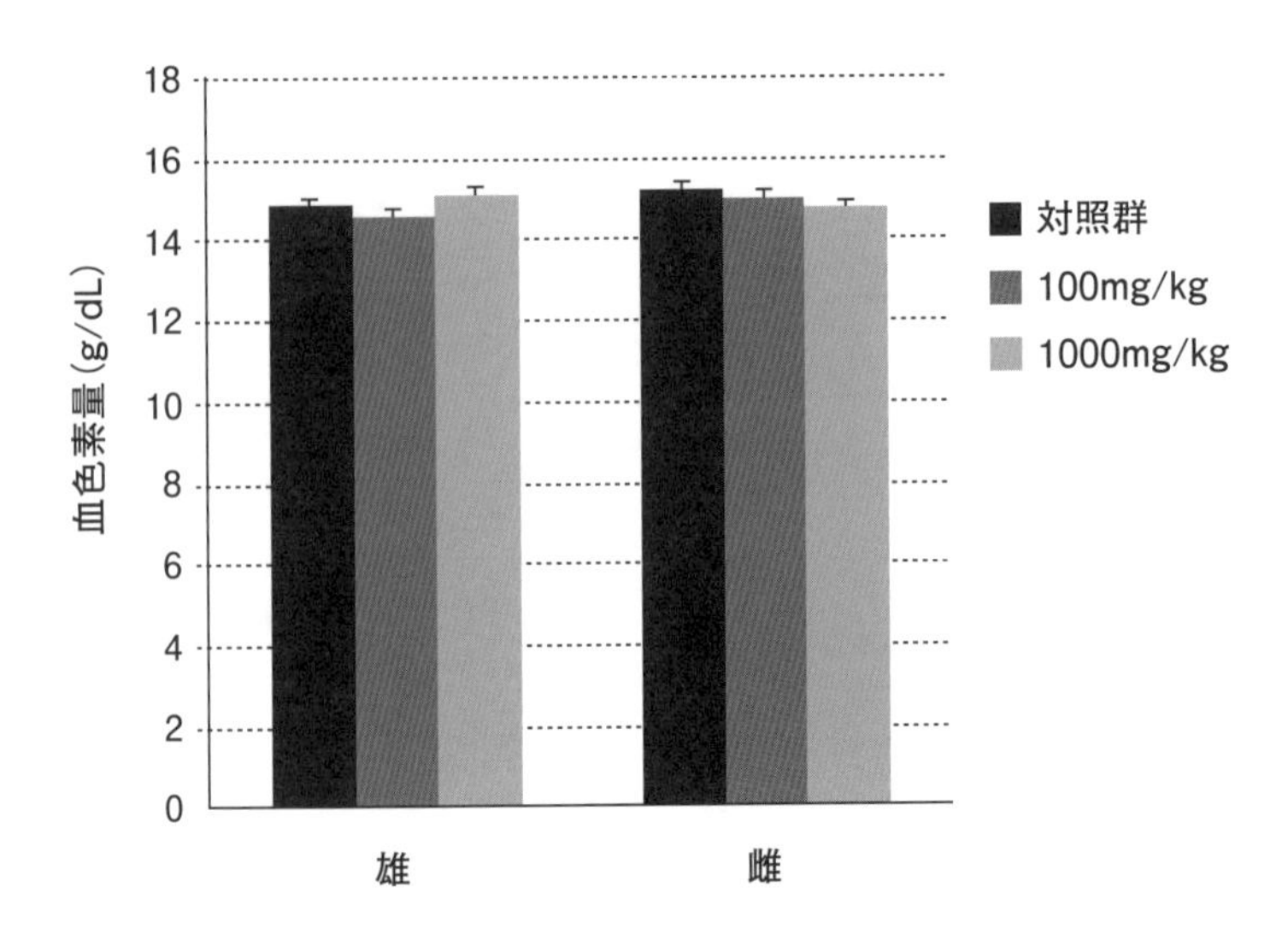

28日間連続経口投与後の血糖値

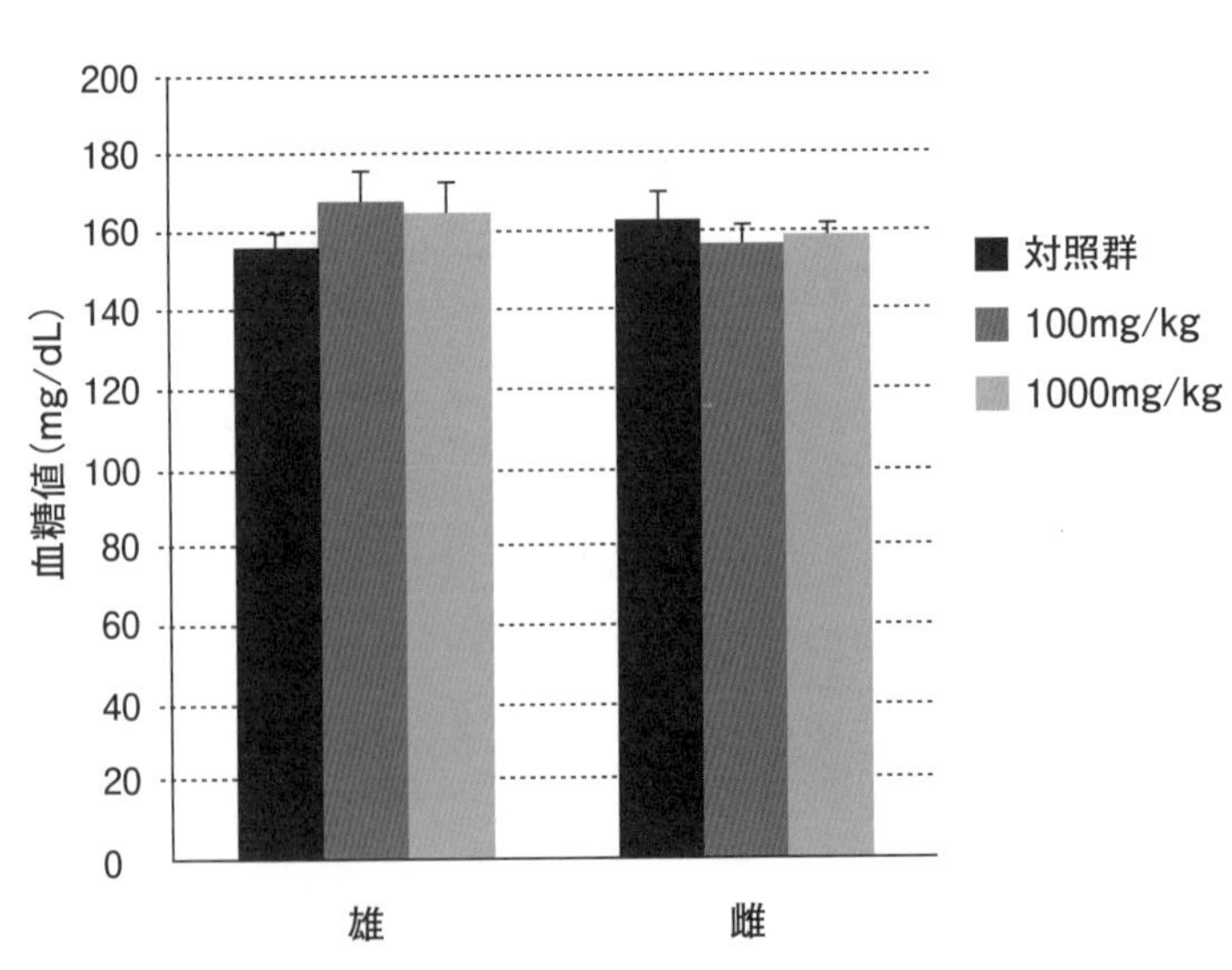

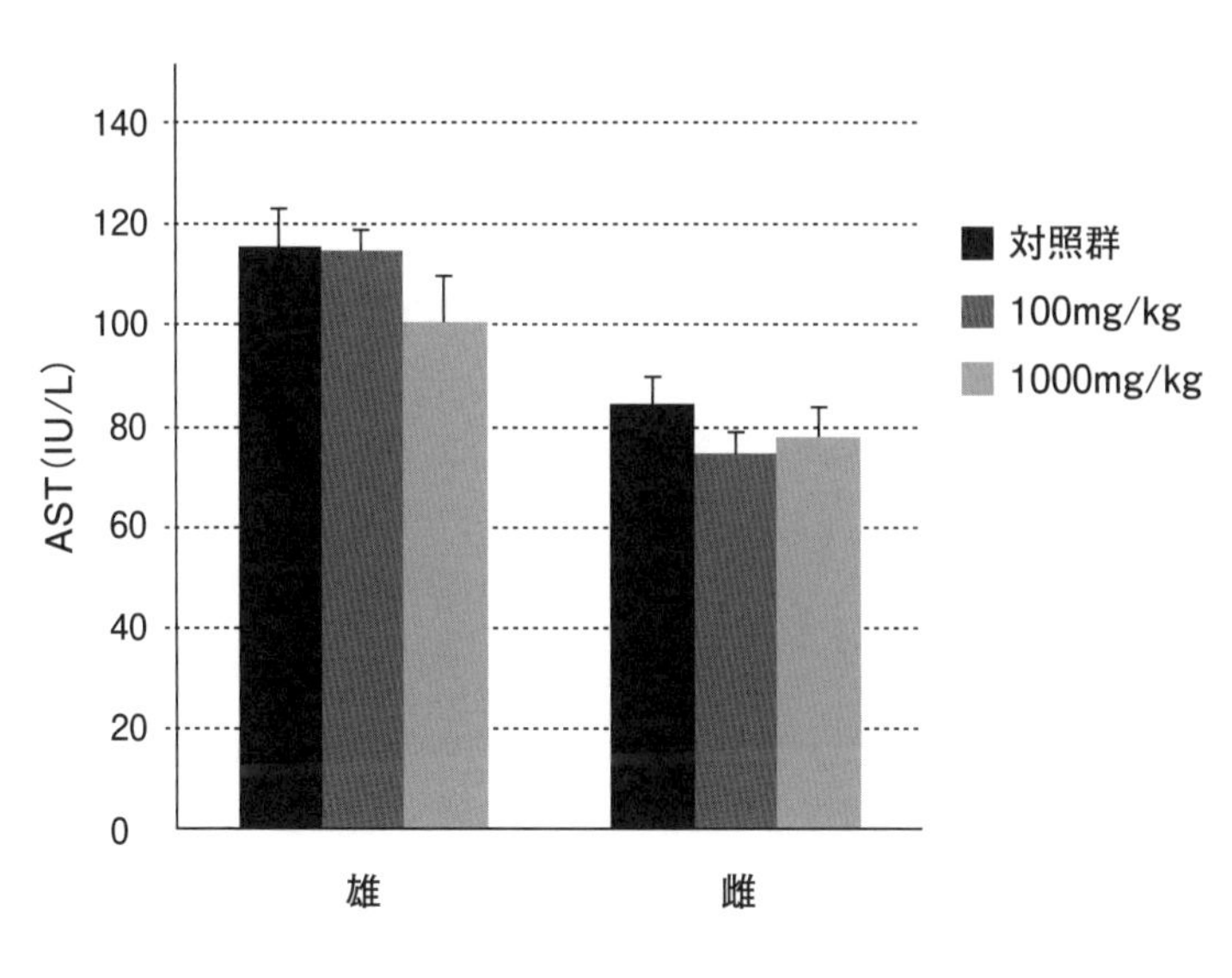

同様にこの試験後のラットの血糖値を計測しましたが、雄、雌、対照群に有意差はありませんでした。この結果から、血糖値の上昇につながるマンガンの欠乏の可能性は極めて低いと考えられます。

同様に、実験後のラットの肝機能を調べましたが、雄、雌、対照群に有意差はありませんでした。この結果から肝機能不全につながるメチオニン、コリンの欠乏の可能性は極めて低いと考えられます。

同様に、実験後のラットの脂質代謝を調べましたが、雄、雌、対照群に有意差はありませんでした。この結果からコレステロール値上昇につながるコリン欠乏の可能性性は極めて低いと考えられます。

以上の実験データにより、吸着炭粉末が腸内で必須栄養素を吸着する可能性は極めて低く、服用による心配はないという結果になりました。

第5章 吸着炭粉末で慢性腎臓病(CKD)が改善した症例

症例01

40年来の痛風が痛風腎→慢性腎臓病（CKD）に。吸着炭粉末で血清クレアチニンが上げ止まった

伊武仁さん（仮名） 72才 慢性腎臓病（CKD）
身長169㎝・体重80㎏

臨床診断
＃1痛風（25才頃～）
＃2糖尿病（50才頃～）
＃3高血圧症（65才～）
＃4慢性腎臓病（65才～、痛風腎による）

20代からの痛風に糖尿病、高血圧を併発し、ついに慢性腎臓病（CKD）に

伊武さんは生来健康で、若い頃には競輪の選手をしておられました。しかし25才頃

には年に数回痛風発作を起こすようになり、治療を受けるようになりましたが、尿酸値は7㎎／dℓ以上（成人男性の基準値4・0〜6・5㎎／dℓ）。痛風発作は相変わらず年に数回ありました。

55才頃からアロシトール（尿酸を減らす薬）を投与され、最近ではフェブリック（尿酸を減らす薬・新薬）の投与で尿酸値は7㎎／dℓを切るようになり、ようやく痛風発作も出なくなったそうです。

一方40才頃に競輪の選手を辞めたころから体重が増え、一時は85㎏あったそうです。その結果50才頃に健診で糖尿病を指摘され、55才頃から食事療法（1日あたり1400〜1600キロカロリー、たんぱく質40〜45ｇ、塩分5〜6ｇ、飲水は自由）を開始しました。また抗糖尿病薬としてはジャヌビアとアマリール（共に血糖降下剤）が処方され、ＨｂＡ1ｃは6・0％前後に落ち着きました。

しかし65才頃に高血圧症と慢性腎臓病（ＣＫＤ）を健診で指摘され、新たに治療を開始。降圧剤のアムロジピン2・5㎎／日とミカルディス40㎎／日を処方され、高い方（収縮期）140〜150㎜Hg、低い方（拡張期）は80㎜Hg程度になりました。

血清クレアチン値の推移

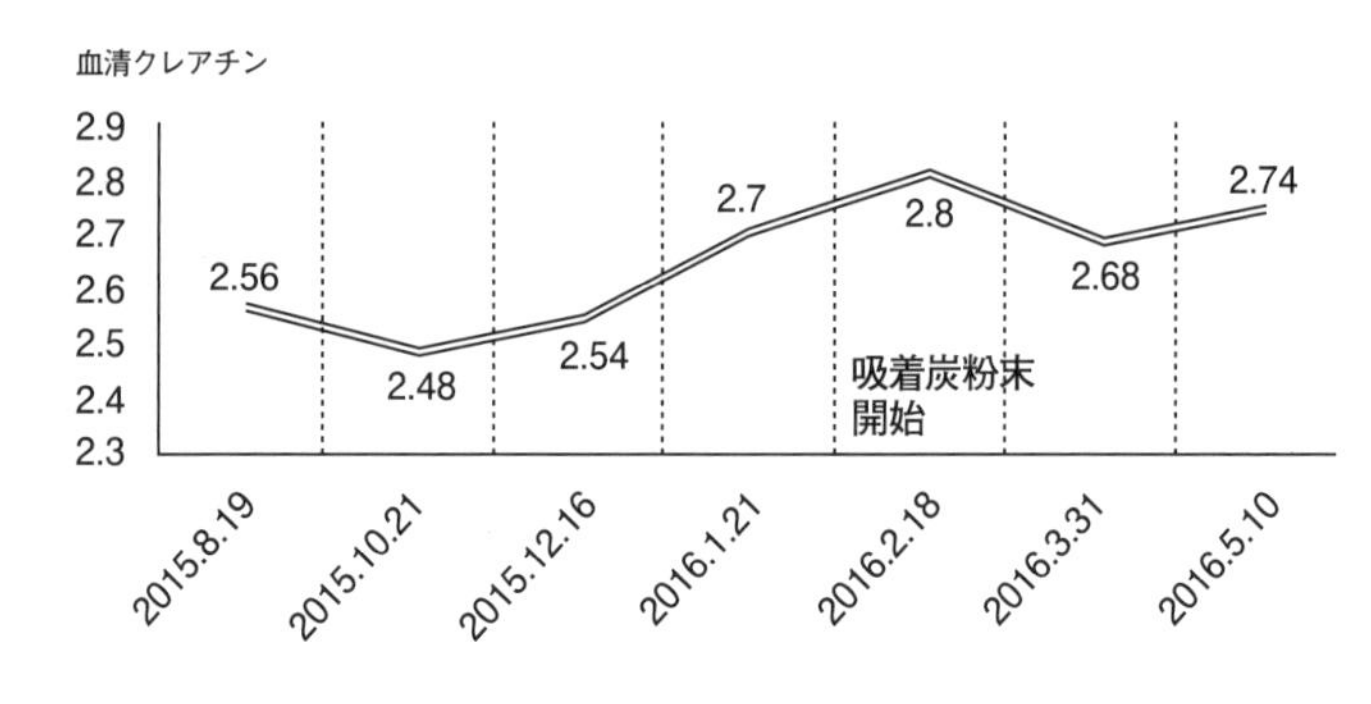

また慢性腎臓病（ＣＫＤ）の進行抑制のため、２０１５年８月から２０１６年２月までクレメジンが処方されましたが、便秘のため服用は不規則なものだったそうです。血清クレアチニンは２・５㎎／dℓ前後（男性の基準値０・５〜１・１㎎／dℓ）で推移しましたが、２０１６年１月から上昇傾向になりました。翌２月から吸着炭粉末の服用を開始し、継続中とのことです。クレメジンのような便秘などの副作用はなく、血清クレアチニンも上げ止まったというのが主治医の診断です。

血清クレアチニンの上げ止まりは珍しい？

昔から「風が吹いても痛い」という激痛を伴う痛風は、尿酸というプリン体の代謝産物が体内で過剰になって処理できなくなり、足の指の関節や腎臓等にたまってしまう病気です。腎臓にたまると痛風腎と呼びます。

尿酸はプリン体が肝臓で代謝されてできる最終産物です。

尿酸が腎臓にたまると結石ができやすくなり、それが尿管を傷つけると腹部や背中の激痛になります。また尿酸のために腎機能が低下し、やがて慢性腎臓病（ＣＫＤ）になる場合もあります。

伊武さんは20代から40年来の痛風の上、糖尿病、高血圧症を発症され、慢性腎臓病（ＣＫＤ）になってしまいました。しかし吸着炭粉末を飲み始めてからは、血清クレアチニンが上げ止まったとのことです。

血清クレアチニンは、一度上がるとなかなか下がらないことで知られます。それまでの様々な治療でも、クレメジンでも下がらなかった数値が上げ止まったというのは素晴らしい事です。副作用もなく吸着炭粉末を継続されているのであれば、今後も続けて病状全体が安定することが目標になるでしょう。

吸着炭粉末は腸内で尿毒素を吸着し、排便で排出してしまいます。尿毒素は腎臓病はもちろんのこと、動脈硬化を悪化させ、心血管病や脳卒中の原因にもなります。尿毒素の除去は、命に関わる重篤な血管病の予防や改善の助けになると考えられます。

3人の慢性腎臓病(CKD)の患者さんの血清クレアチニンが低下。腎機能が改善し病状が安定

慢性腎臓病(CKD)は、ある程度進行すると完治は望めず、進行をできるだけゆっくりにして人工透析を遅らせる、できれば人工透析をせずに天寿を全うすることが目標になります。そうした状態になりつつある3人の患者さんが、吸着炭粉末を試した例をご紹介します。

3人の慢性腎臓病(CKD)は、ちょうど中程度からやや悪化した状態。このままだと、急に進行して人工透析になる可能性がある段階です。しかし万全な治療を行えば進行を食い止め、現状維持も可能という状態で、慢性腎臓病(CKD)の分岐点と言っ

てもいいでしょう。

３人は、吸着炭粉末を１日６～８粒、朝、昼、夜の食後１～２時間後に分けて飲みました。それまで飲んでいた高血圧や高尿酸血症の薬は継続しています。

１か月半たって、３人の血清クレアチニンは次のように変化しました。

Ａさん（男性）２・８㎎／dℓ→２・２㎎／dℓ
Ｂさん（男性）３・０㎎／dℓ→２・８㎎／dℓ
Ｃさん（女性）３・１㎎／dℓ→２・９㎎／dℓ

３人とも見事に数値が下がっています。

特にＡさんは大きな変化と言ってよく、腎

慢性腎臓病患者におけるクレアチニン値の変化

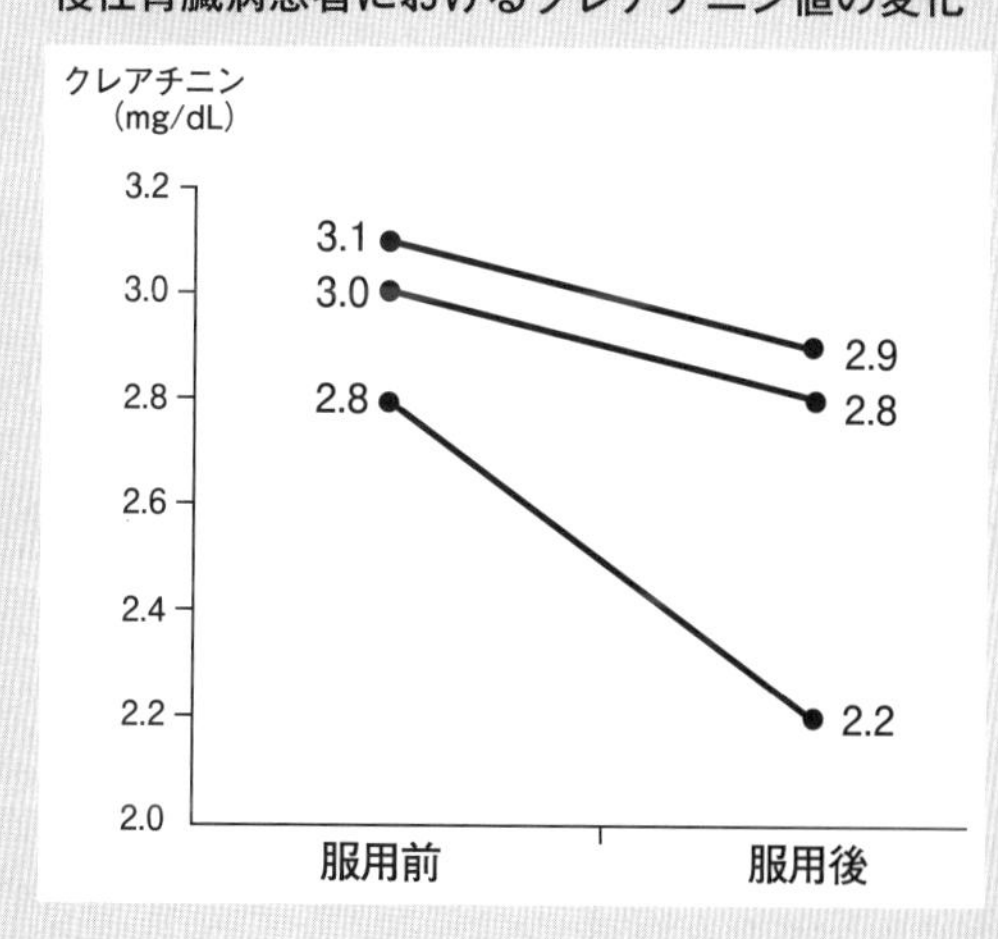

機能の改善が見られたと言っていいでしょう。

これは吸着炭粉末を1か月半試した結果ですが、さらに1か月半吸着炭粉末を飲んだ1か月半後にも病院で経過をみてもらったところ、血清クレアチニン濃度は変化がなく、病状も安定していることがわかりました。

症例02

自覚症状なく、血圧を調べに行ったら腎臓病が判明 クレアチニン上昇を抑えるためにも吸着炭は続けたい

埼玉県　竹原義男さん(仮名)　77歳

「もともと丈夫だったこともあって、滅多に病院なんか行きませんでした。血圧が高いのはわかっていたので、ある時近所のかかりつけ医に行って検査を受けたら、まさかの腎臓病です。驚きました。自覚症状は全くありませんでしたから」

竹原さんが慢性腎臓病と診断されたのは、４年半ほど前のこと。血圧を心配して受診したのですが結果は腎臓病。実は腎臓病と診断される人の多くに自覚症状はなく、腎臓の病気など予想もしていない人がほとんどです。

また診断されても、腎臓病に特効薬はありません。腎臓以外の症状があれば、例えば高血圧や脂質異常等があればその治療を受けながら、食事療法を行うことになります。

竹原さんも自宅で食事療法を続けておられます。

「味の濃い外食はほとんど食べません。家で肉や魚などのタンパク質やごはんなどの炭水化物は減らし、減塩して薄味の野菜中心の食事をしています。カリウムを減らすために野菜はゆでこぼして食べます」

そして治療の助けになればということで選んだのが吸着炭でした。1日6〜7粒。朝夕各3粒ずつ飲んでおられます。

こうして4年間は順調に経過しましたが。2020年の終わりに軽い脳梗塞を発症。年末年始に1週間の入院となったそうです。幸い後遺症は全く残らず、退院されました。ただし異常が出たのが腎臓のクレアチニンです。

クレアチニンは、筋肉がエネルギーとして使ったものの老廃物です。これをろ過する腎臓の機能が落ちていると血液中に残り、数値が上がってきます。

竹原さんは脳梗塞で入院する前は安定していたクレアチニンの数値が、退院後に上がり（3・0以上）ました。その後、下がって安心していたものの再上昇したそうです。

脳梗塞のために飲む薬が増え、体も少し変わったのかもしれません。また主治医からは「クレアチニンの数値が3・0を超えると腎臓病は進行しやすくなるから、充分気をつけるように」と言われています。腎機能を維持し、進行を抑えるためにも吸着炭は欠かせない、と竹原さんは考えておられます。

竹原さんは工場を経営。加工業を営んでおられます。以前はたくさん人を使っていたそうですが、年齢的なこともあって、今は奥様と2人で、ある程度外注しながら仕事をしているそうです。

「特に運動はしていませんが、仕事をすることで体を動かし、生活のリズムをとっているのでいいんじゃないかと思います。あとは食事療法と吸着炭です」

症例03

トレーニングと温泉で楽しく療養。吸着炭でお腹もスッキリ

宮崎県　藤代浩司さん（仮名）　76歳

藤代さんが慢性腎臓病であることがわかったのは60歳を過ぎてから。その頃からじわじわとクレアチニン値が上がり、タンパクも出てきたそうです。糖尿病や高血圧などの余病がないことから、ひょっとすれば40代のころ仕事で体を酷使していたせいではないかと、藤代さんは思っています。

それから十年以上たち、74歳の頃、検査入院をしました。GFR（糸球体ろ過量）という腎臓の糸球体が老廃物を尿へ排泄する能力を調べる検査で、結果の数値が45％。6段階あるうちの真ん中くらいの結果だったそうです。これ以上悪化しないように、食事療法や生活習慣をがんばらなくてはなりません。

食事に関しては、すべてご自身で管理しておられます。味の濃い外食は控え、塩分、

糖分を控えた食事を摂っているとのことです。

そんな藤代さんが吸着炭と出会ったのは、近所の書店で見つけた、ある本を読んだことがきっかけです。腎臓病にはこれといった薬がないため、何か助けになるものを、と思っていたところだったそうです。その後、吸着炭を取り寄せて飲み始めました。3ヶ月ほど飲んで、便通がよくなったことに驚いておられます。腸の働きがとてもよくなっているそうです。

「もともとちょっと便秘気味で、力まないと出ない方でした。それが今はすごくスムーズで気持ちがいいです。腸の状態がいいと腎臓にもいいと思いますよ」

運動に関してはとても充実していて、毎日のように近くの温泉付きのジムに通っておられます。温泉が何種類もあり、熱いお湯からぬるいお湯まで何タイプもあるそうです。

「トレーニングで汗をかいたら、温泉につかって疲れを取ります。気分がいいですよ」

食事や運動、そして吸着炭。生活全体で腎臓機能の向上にがんばっておられるようです。

症例04

週に2回お寿司を食べても検査数値は改善・良好。「顔色いいね」と言われ体力回復。仕事もバッチリ出来るのは吸着炭のおかげ

愛知県　秋山和也さん（仮名）　73歳　会社員

秋山さんが腎臓病である事がわかったのは、腸の手術をした直後でした。S状結腸憩室穿孔（じょうけっちょうけいしつせんこう）という、腸壁の一部に穴が開く病気で、腸内環境がかなり悪かったこともあって摘出手術となり、人工肛門をつけたそうです。

「主治医は、人工肛門は永久的なものだ、と言っていたのですが、私としては納得できません。交渉に交渉を重ねて他の病院を紹介してもらい、人工肛門を取って本来のものに戻すことが出来ました。それはよかったのですが、その後の通院時の検査でクレアチニンの値がずっと高い状態で、慢性腎臓病であることがわかったのです。一難去ってまた一難です」

慢性腎臓病の治療の基本は食事療法です。秋山さんは奥様の協力を得て、たんぱく

質や炭水化物を減らし減塩の療法食をがんばってみました。

ところが、2か月ほど食事療法を続けてもクレチニンは全く下がりません。尿タンパクも出ており、改善する気配はなかったそうです。体重は減り、体力も落ちて、どんどん病人のようになっていきます。

「主治医が、腎臓病のグラフを指さして私に言うんです。腎臓病はよくなりません。何年か経つとこうなって、こうなって、やがて人工透析です。大切なのは食事療法です。血圧も下げましょう、と言い切る。でもその通りにしても全然よくならない。やせて体力が落ちただけ」

困っていた秋山さんは、新聞広告で腎臓病の本を見つけたました。秋山さんはその本で詳しく解説されていた吸着炭に興味を持ち、取り寄せて飲んでみることにしました。科学的にしっかり検証されていて、信頼できると思ったといいます。1日6粒。午前中3粒、夜3粒です。

腎臓病に食事療法は必須ですが、秋山さんは徐々に、食べたいものを我慢しなくなっていきました。家族と同じものを食べ、外食もするようになりました。お寿司や焼き肉なども食べます。塩分もタンパク質も多めの食事です。ところがこの少々無軌道な食生活をしながら、秋山さんは体力が回復し、「顔色いいね」と周囲の人に言われるようになっていきました。

通常こうした食生活を続けていれば、いずれはクレアチニン値も上がり、病状が悪化します。ところが秋山さんの場合、クレアチニン値は変わらず尿酸値は下がり、潜血が「±」から「－」になりました。

「吸着炭はずっと飲んでいます。そうすると便通がよくなって、余分なものがみんな出て行ってくれる気がします。腸内環境がよくなって、腎臓に負担をかけていないと思うんです」

検査結果が良好なので、主治医は、秋山さんが食事療法をがんばっていると思ったのでしょう。通院回数を減らしても大丈夫だと言われたそうです。

「実際は、ある程度好きなものを食べています。もちろんしょっぱい塩鮭とか明太子とかは控えてますよ。お寿司は週1回くらい食べてます。いや2回の時もあるかな（笑）。食道楽なんで、おいしいものを食べられないと、生きていても楽しくないんです。

でも吸着炭を飲んでいると、このくらい食べても全然問題ありません。その代わり飲み忘れると便通が今一つですね。スッキリしないんですよ」

秋山さんは吸着炭以外に運動療法も続けています。ほぼ毎日ウォーキングをしているとのことです。

運動療法は、腎臓病にとっても非常に有効であることが認められています。以前は悪影響があるとさえ言われていましたが、今は逆です。適度な有酸素運動によって、尿たんぱくが減少したという報告もあります。

「吸着炭のおかげで腸内環境がよくなったんだと思います。また私に合っていたんでしょうね。慢性腎臓病と診断され、吸着炭を飲み始めて4年以上たちますが、体調はいいし、検査数値も良好。タンパクも正常になり、クレアチニンも安定しています」

秋山さんは73歳。普通に会社勤めをし、時々グルメを楽しむ生活です。

「吸着炭に会えなかったら、どうなってたかわかりませんね。私にはドンピシャリだったんです」と明るく語っておられます。

症例05

40年来の腎臓病が安定し、体調も良好

千葉県　浦上正さん　70歳

浦上さんの持病は慢性糸球体腎炎の一種であるＩｇＡ腎症です。

ＩｇＡとは免疫にかかわるタンパク質の一種で、本来は粘膜の表面で細菌やウイルス等の病原体の毒性をなくして感染を防ぐ物質です。そのＩｇＡが、免疫機能のトラブルで腎臓の糸球体に付着して炎症を起こすのがＩｇＡ腎症です。血尿やタンパク尿が出て、少しずつ腎臓を弱らせていきます。早く発見して治療しないと、最悪の場合人工透析になる可能性もあります。

日本ではこの病気の人が多く、慢性腎臓病の2～3割を占めています。調子が悪いと血圧や血糖値が上がるため、その都度血圧を下げる薬、血糖値を下げる薬、免疫抑制剤やステロイドなどで炎症を抑える治療法が行われます。

浦上さんは、長い間病状は安定し、仕事も続けてこられましたが、２年ほど前にタンパク尿が出たため、入院してパルス療法を受けたそうです。この治療法では大量のステロイド剤を投与して炎症を抑えますが、免疫力もほぼゼロになってしまいます。退院後は感染症には十分な注意が必要になります。

この治療は効果がありましたが、その後しばらくして再びタンパク尿やむくみに悩まされる事になります。

その頃、浦上さんは新聞広告である本を見つけました。長く闘病してこられた浦上さんは、この本で詳細にわたって検証されていた吸着炭に興味を持ち、ひょっとしたらと思い取り寄せて飲み始めました。

その後、クレアチニンの数値が１・５くらいで安定するようになり、タンパクも２＋から±に。むくみもとれて体調がとてもよくなったそうです。

「私にはこの吸着炭、とてもよかったです。体調もいい。仕事も忙しいですが、元気で続けています」

腎臓病は食事療法がとても大変ですが、浦上さんは奥様の協力を得て、野菜中心のバランスのよい食事をしておられます。

「腎臓病というとタンパク制限と思われていますが、一切食べないのではありません。ある程度は必要です。私も毎日毎食、少なめのタンパク質を摂っています。朝は卵1個、昼は魚、夜は肉といった具合で、まんべんなく食べているんですよ」

吸着炭は基本的に1日6粒。午前に3粒、午後3粒飲んでおられます。薬と違って自身でコントロール出来、様子を見て増減してもいいし、副作用もないと満足されています。体調もよいので、これからも続けていきたいとのことです。

症例 06

糖尿病からの腎臓病。
吸着炭と運動で体調良好

宮城県　高橋正利さん　72歳

高橋さんの腎臓病は糖尿病から来ています。糖尿病の治療は続けていたものの、やはり合併症である腎臓病を避けるのは難しかったのかもしれません。腎臓病に対する特効薬はないので、血糖降下剤やコレステロールを下げる薬などを飲みながら、食事療法をがんばっておられました。

そんな高橋さんは3年ほど前に交通事故に合い、1か月間入院したことがあります。その時、たまたま目にした本があり、そこに掲載されていた吸着炭に興味を持ち、取り寄せて飲み始めました。

「初めに感じたのは便通のよさです。とにかくきれいに出る。不用なものが全部出る感じで、これなら腸がきれいになる、腎臓にも負担がかからなくなるのではないか、と思いました」

高橋さんの思った通り、吸着炭を飲み始めてからはクレアチニンの数値も安定し、体調も良好とのことです。

高橋さんは若いころクロスカントリースキーの選手でした。県代表で出場した全国大会でも活躍し、その後は後進の指導にも携わってこられました。クロスカントリースキーは雪上のマラソンともいわれ、ウインタースポーツの中で最もハードな競技として知られます。高橋さんも選手時代は、気力体力ともに限界まで鍛え上げて競技に臨んでおられたそうです。

そんなアスリートである高橋さんですが、お酒が大好きで、少々飲みすぎるきらいもありました。

「糖尿病の原因はお酒かなと思います。若いころはとにかく飲めましたし、今考えると内臓にも負担をかけていたのかもしれません。吸着炭で腸をきれいにしていると腎臓への負担も減って、調子がよくなるのではないかと思っています」

腎臓は（糖尿病も）それほど進行していないためか、食事療法に関してあまり厳しい制限は求められていないそうです。また医師の考え方も色々で、それほどうるさく言わない医師もいます。高橋さんも暴飲暴食はしない程度の制限で、お酒も飲んでおられます。

「焼酎やウイスキーなどの蒸留酒を少し飲む程度です。本当は日本酒が好きなんですが、糖質が多いのでダメなんですよ。ビールやワインもダメです」

運動療法に関してはさすがアスリート。雪が降ったらスキー。春から秋は山林のトレッキングをしておられます。

「やっぱり山なんです。自然の山がいいんです。運動も山がいいし、山菜採りもいいですよ。結構、クマが出たりしますが、まあ大抵は向こうが逃げていく（笑）。若いころは知り合いの手伝いで炭焼きもやったことがあります。宮城県の炭はナラの木です。吸着炭は竹が材料ですが、どうも炭には縁があるようですね（笑）。原材料が樹木の炭というのは安心できます」

72歳の高橋さん、これからは「悪くならないように」が健康の目安で、無理せずにがんばっていきたいと語っておられます。

症例07

痛風からの腎機能低下
吸着炭で見事すべての検査数値が正常になり安定

大分県　加藤敬一さん(仮名)　74歳　養鶏業

もともと痛風があって通院しておられた加藤さん。1年ほど前、病院の検査でクレアチニンなどの数値が上がり、腎機能が低下していることがわかりました。病院では「このままだと人工透析になるよ」と言われました。それからは病院の指示通り、塩分やたんぱく質を控えた療法食を摂っていましたが、量は少ないし味気もないしでずいぶん痩せてしまったそうです。

そんな時、書店で腎臓病に関する本を見つけ、読んでみると吸着炭でよくなった人が随分いることがわかり、さっそく取り寄せて吸着炭を飲んでみました。その結果が次の通りです。

２０１９年３月29日　　　　　　　　**２０１９年10月15日**

尿素窒素　25mg　↓　12mg
クレアチニン　1・2mg　↓　1・0mg
UA　6・9mg／dℓ　↓　4・7mg／dℓ

ほぼ半年で見事に改善しておられます。腎機能を著す尿素窒素、クレアチニンだけでなく、痛風の検査項目の尿酸値UAも下がっています（正常範囲内での低下）。

「それからは肉も魚も卵も食べますし、普通の食事をするようになりました。まあ塩分は控えているかな。特に何か我慢していることもなくて。正直、私も驚いています」

それから1年以上たっても、検査結果が悪くなっているものは何もなく、健康状態も良好とのことです。加藤さんは養鶏業を営んでおられ、忙しく働いているので運動も生活のリズムもよいとのことです。

「いい本に出合い、いいもの（吸着炭）に出合ったと思います。もし吸着炭に出会わなければ、人生がどんなに暗くなっていたか。本当に信頼しきって使っています」

症例08

医師も「不思議だ」と驚く。腎不全とは思えないほど元気。78歳でグループホームの介護の仕事をこなす

藤沢市　稲本麻子さん　78歳

稲本さんが慢性腎不全と診断されたのは2012年。健康診断で腎臓の機能が低下していると言われ、大学病院で精密検査を受けて判明しました。腎不全と言えば腎臓病の中でもかなり進行した状態ですが、ご本人は全く自覚症状がなかったそうです。

これ以上進行しないように、血圧や尿酸値を抑える薬など7種類くらい薬を処方されました。それでもこのままでは人工透析になると医師に言われ、稲本さんは徹底した食事療法に取り組みました。減塩、たんぱく質やカリウムの制限など、食べるだけでなく用意するのもかなり大変です。

「人工透析はいやですから、食事に関しては徹底してます。食べられないものも多い

です。汁物は一切食べません。カリウムが多いからバナナとかキウイとか果物もダメ。きちんと計算すれば少しは食べられますけど、いいんです。食べません。外食もたまにはしますが、そうすると家ではたんぱく質は全く食べませんね」

月一度の通院では、「よくがんばってるね～」と言われるそうです。

そんな稲本さんが吸着炭を知ったのは２０１７年のことです。新聞広告で見つけた本を読み、吸着炭を取り寄せて飲み始めました。もともと自覚症状がないこともあり、大きな変化がありませんでしたが、慢性腎不全と診断されて9年間、進行もなく元気に過ごしておられます。

さらに驚くのは78歳でグループホームの介護の仕事を続けていること。グループホームは認知症の患者だけが少人数で暮らす施設です。かなりのハードワークですし、一日中気の抜けない仕事です。

「確かに一日仕事すると５０００歩は歩きますね（笑）。じっとしてはいられないし。でもそれで生活のリズムもつき、運動になり、食べすぎも防げるんですよ。腎臓病の療法食のお弁当を持っていくので、余計なものは口にしなくてすむんです。ずっと家にいると、色々食べたくなります。我慢してますがお腹もすくし。健康のためになっています」

腎不全のことを知っている人は、そんな稲本さんの様子に驚いているとのこと。それは医師も同じだそうです。

「お医者さんも驚いてます。友人知人もみんな驚いています。食事や仕事で頑張っているだけではなく吸着炭も助けになっていると思いますよ」

症例09

食養生を自然体で実践。腎臓病は20年間進行せず元気

愛媛県　大島竜二さん（仮名）　91歳

大島さんが慢性腎臓病と診断されたのは、70歳の頃です。

「腎臓が弱っている、と医者に言われた時は正直驚きました。特に自覚症状もないし、定期的に通院していたので検査で偶然わかったんです。腎臓病は完治しないという事は知っていましたし、薬もないいんですよ。困ったなと思いましたが、食事療法しかないと思ってがんばってきました」

腎臓病の食事療法はまず減塩。そしてカリウム抜き。汁物は塩分が多くなるのでほとんど食べられません。食事療法に従った1日3食は用意するのも作るのも大変です。だんだんおざなりになって、普通食になってしまう人も少なくありません。

「いやいや、最近は腎臓病用の療法食を専門に扱っている業者もあって、これが結構

おいしいんですよ。私は2週間分、冷凍で送ってもらい、レンジでチンして食べています。メニューも豊富だし、飽きずに食べられます。夕食だけですが」

ご家族と同居しておられますが、日中は仕事で出かけてしまうので、大島さんは日中はひとりで食事を用意します。

「用意するって言ってもパンを焼いたり、缶詰を開けたり、簡単ですよ。果物も本当は生のものが食べたいですが、カリウムが多いから缶詰でがまん。愛媛はみかんがおいしいから、それはちょっと残念です」

腎臓の薬がないことから、何か助けになるものはないかと大島さんが選んだのが吸着炭です。２０１６年から飲み始め、もう5年余り。腎臓病は、診断されてからほとんど悪化していないそうです。

腎臓病は特効薬がない事もあって、徐々に進行してしまう人が少なくありません。その点大島さんは、20年間進行を抑えているのですから驚異的です。吸着炭は腸で働いて腎臓の負担を減らすので、きっと大島さんの助けになっていると考えられます。

大島さんが難しい食事療法を続けて来られたのは、若いころの経験があったからかもしれません。

「戦後、結核になったんです。食べ物も薬もろくにない時代ですから、あるもので何とかしなくちゃなりません。私は自分で野菜を作り、体に良い食事を工夫して作って治したんです。食養生といったところでしょうか」

その時の経験をもとにした食事療法は、今でいえばデトックス効果抜群です。ごはんは精米機で玄米から胚芽米にして炊き、すりゴマをかけて食べるそうです。

「米の栄養を十分摂って、かつおいしいのは胚芽米。おかずは瀬戸内海の名産のしらす。塩抜きはしますが、おいしいですよ」

挫折しがちな食事療法ですが、大島さんは創意工夫と前向きな姿勢で取り組み、かつ楽しんでおられるようです。

「吸着炭には助けられていると思います。薬ではなかなか治療できない腎臓病ですが、私の場合、幸いにも進行が止まっているし、体調もいい。食欲もあって食事はおいしい。元気で過ごせているのですから、吸着炭を全面的に信頼しています」

症例10

飲み忘れると血清クレアチニンが上がるので気をつけている

兵庫県　青木光男さん（仮名）　男性　76才

平成22年8月の検査で血清クレアチニンが3・14mg／dℓ
（男性の基準値0・5～1・1mg／dℓ）
平成23年8月　血清クレアチニン　4・75mg／dℓ
平成24年3月　血清クレアチニン　5・36mg／dℓ
平成24年4月　血清クレアチニン　5・73mg／dℓ　吸着炭粉末服用開始
同年　5月　血清クレアチニン　6・51mg／dℓ
同年　6月　血清クレアチニン　5・26mg／dℓ
同年　10月　血清クレアチニン　6・08mg／dℓ
同年　11月　血清クレアチニン　3・48mg／dℓ

同年　12月　血清クレアチニン　4・25mg／dℓ
平成25年1月　血清クレアチニン　3・64mg／dℓ
同年　2月　血清クレアチニン　4・57mg／dℓ
同年　3月　血清クレアチニン　4・2mg／dℓ
同年　4月　血清クレアチニン　4・74mg／dℓ
同年　6月　血清クレアチニン　3・43mg／dℓ

血清クレアチニンの値が高めで、かつ変動しています。吸着炭粉末を飲むと数値が下がり、すると油断して飲み忘れる事が多いそうです。そしてまた上がり、吸着炭粉末を飲むという繰り返しになっているとの事です。

血清クレアチニンは、基準値（男性の基準値0・5～1・1mg／dℓ）より少し高いだけでも腎機能は50％を切っている事が多いとされています。吸着炭粉末を飲むと下がるのですから、ぜひ継続して基準値を目指していただきたいものです。もちろん慢性腎臓病（ＣＫＤ）であれば、低たんぱく食の励行も大切で、併せて継続が必要です。

症例11

血清クレアチニンが多少変動しつつ基準値内に収まった！

静岡県　長谷川順一さん（仮名）　男性　55才

長谷川さんは重度の睡眠障害で大量の睡眠薬を飲んでいることによる夜間脱水のため か、血清クレアチニンが1・2mg／dℓ（男性の基準値0・5〜1・1mg／dℓ）に上昇。そこで吸着炭粉末を飲み始めたところ、0・9と基準値内に戻ったとの事。ところが運動するためにプロテインを飲んでいたら1・09↓1・21と上昇してしまいました。再度吸着炭粉末を飲み続けたところ、1・08↓1・05に下がったそうです。

Protein は日本語でズバリたんぱく質です。たんぱく質の老廃物がクレアチニン、尿素窒素、尿酸であり、いずれも腎臓にとって負担の大きい尿毒素です。

腎臓病の人にとって、筋肉をつけるためのプロテインは、例え運動しながらでも制限しなくてはならないはずです。また、水分を多めに摂るようにしたいものです。

吸着炭粉末は腸内で有害な尿毒素を吸着します。それは腸内細菌に分解されたたんぱく質の老廃物、例えば尿素窒素、インドール、アンモニア、そして動脈硬化と腎臓病の最大の原因であるＡＧＥなどを吸着します。これによって血液中に放出されるインドキシル硫酸やＡＧＥなどを減らし、血清クレアチニンも減少すると考えられます。

症例12

人工透析を避けるためにがんばっています

京都府　河瀬貴子さん（仮名）　女性　60代

腎臓病で通院していたＣさんは、血清クレアチニンの数値が下がらず、医師に「数値が５を超えたら人工透析を考えましょう」と言われました。

２０１３年４月時点でＣさんの血清クレアチニンは４・５㎎／dℓ（女性の基準値０・４〜０・８㎎／dℓ）、翌５月には４・９㎎／dℓに上がってしまいました。

そこで吸着炭粉末の飲用を開始したところ、翌６月には４・５に下がったとのことです。

人工透析になると、通常は週に３回、１回４時間をかけて治療を行わなければなりません。またそれで腎臓病が治るわけではなく、人工透析を止めることもできなくなります。

Ｃさんは検査の数値がまだまだ高いですが、人工透析を回避するためにも腎不全の標準的治療に加えて吸着炭粉末を継続してもらいたいものです。

症例13

吸着炭粉末を2年飲み続けて、血清クレアチニンを基準値内にキープ

東京都　Dさん　男性

２０１４年の７月、Dさんの血清クレアチニンは１・０８mg／dℓ（男性の基準値０・５～１・１mg／dℓ）でした。その頃から吸着炭粉末を飲み続け、半年後には０・９５mg／dℓまで下がったそうです。その後ずっと飲み続けておられます。

就寝前には便秘対策としてココア、オリーブオイル、オリゴ糖を飲み、ほかに健康のためリンゴやヨーグルトを食べるとの事です。

吸着炭粉末を飲み始めた頃のDさんの血清クレアチニンは、やや高いかもしれませんが基準値内です。この段階で予防的に吸着炭粉末を開始したことで、腎機能が低下せずにすんでいると考えられます。

腎臓は一度細胞が壊れて悪化すると、元に戻らない臓器です。こうした臓器こそ、

予防的な対応が重要だと言えます。Dさんは病気になる一歩手前で吸着炭粉末で予防したため、腎臓に負担をかけず、健康を維持できている可能性があります。

症例14

1か月吸着炭粉末を飲んだら血尿、たんぱく尿が消えてびっくり

北海道　Eさん　男性

原因不明の微少血尿、たんぱく尿が2年も続いていたEさん。様子を見ながら、朝鮮人参など様々なサプリメントを試してみましたが、効果はなかったそうです。ところが吸着炭粉末を飲み始めたところ、1か月後の人間ドック時には微少血尿もたんぱ

く尿も消失していてびっくり。その後も1年以上飲み続けているとの事です。

原因不明の微少血尿、たんぱく尿は、それほど珍しい事ではないようです。極度のストレスや過労が原因の事もあります。いずれにしても異常なしとは言えません。時間を経て何らかの腎臓病がはっきりする場合もあり、腎臓専門医のいる病院では、腎生検を勧めるでしょう。

しかしＥさんは吸着炭粉末で血尿もたんぱく尿も治まったとの事。とりあえず一件落着といったところでしょうか。

吸着炭粉末は薬ではありませんので、直接腎臓の病気や障害を治すことはできません。しかし腎臓に負担をかける尿毒素を腸で吸着してしまうので、腎臓の病気の原因を間接的に取り除き、自然治癒を助けていると言えるかもしれません。特に腎臓の血管を傷めつけるＡＧＥを吸着するので、それだけで腎臓の血管の負担は軽くなると思われます。吸着炭粉末を継続する事で、予防効果はかなり高まると言えるでしょう。

ただし、吸着炭粉末を継続しても血尿やたんぱく尿が出たら腎生検は必要でしょう。

症例15

尿素窒素の数値も改善し、赤血球数も増えて貧血もよくなってきた

神奈川県　Fさん　男性　70代

平成27年1月、Fさんの血清クレアチニンは2・6mg／dℓ（男性の基準値0・5〜1・1mg／dℓ）。病院でクレメジンを処方されましたが改善せず、同年6月の血清クレアチニンは3・7mg／dℓ。BUN（尿素窒素）は52・6mg／dℓ（基準値8〜22mg／dℓ）と高いものでした。

そこで吸着炭粉末を飲み始めたところ、血清クレアチニンは同年8月3・4mg／dℓ、同年9月3・1mg／dℓ、同年10月2・6mg／dℓと下がってきました。

またBUN（尿素窒素）も9月は44mg／dℓ、10月は40・8mg／dℓに下がりました。

赤血球数も増え、赤血球造血刺激因子製剤（ESA製剤）の効きがよくなってきました。

血清クレアチニンはたんぱく質の老廃物ですが、尿素窒素（BUN）とは、同じくたんぱく質の老廃物である尿素と二酸化炭素が結びついた物質です。いずれも尿毒素であり、基準値より高いという事は、腎機能が低下している事を意味しています。

赤血球の減少は腎性貧血を指しており、腎臓が分泌している造血ホルモン・エリスロポエチンが減少しているためで、多くの腎臓病の患者さんに見られます。

血清クレアチニン、BUNが下がり、貧血も改善してきたというのは、やはり腸で産生される尿毒素が吸着炭粉末によって吸着、排出され、腎臓の負担が軽くなってきたためと考えられます。

症例16

血清クレアチニンを下げるには吸着炭粉末も効果がある

兵庫県　Gさん　女性

Gさんは、吸着炭粉末を飲み始めてから1か月で血清クレアチニンが3・1mg／dℓから2・6mg／dℓに下がりました。病院からも薬が出ているので、吸着炭粉末からクレメジンに変えたところ血清クレアチニンが再上昇したため、吸着炭粉末を再開したそうです。

またある手術を受けてから下痢で困っていましたが、吸着炭粉末を飲んでからちょうどよいお通じになったそうです。

クレメジンは腸の尿毒素を吸着する薬であり、吸着炭粉末と似た働きがありますが、腎臓を含む動脈硬化の原因であるAGEにはあまり効果がありません。吸着炭粉末は、実験ではAGEを吸着する力はクレメジンの7倍です。特に毒性の強い食品由来のA

GE（TAGE）を吸着するので、その働きはクレメジン以上ではないかと思われます。ただし吸着炭粉末が腎臓を治すわけではないため、継続して飲用していただいた方がいいと思います。

症例17

1か月で血清クレアチニンが0・8㎎／dℓ低下し腎臓内科の医師も驚いていた

長野県　Hさん　男性

Hさんは、吸着炭粉末を飲み始めたところ、1か月で血清クレアチニンが0・8㎎／dℓも低下しました。通院している腎臓内科のドクターや看護師さんも驚いていたそうです。そこでHさんは腎臓病教室で吸着炭粉末を紹介したとのことです。

血清クレアチニンは、一度高くなるとなかなか下がらない事が知られています。それが1か月で0・8下がるというのは驚くべき事です。腎臓病は治療を続けていても、改善の兆候があまりない事が多いので、こうした変化は患者さんに前向きな気持ちをもたらすものだと言えるでしょう。

症例18

血清クレアチニン、尿素窒素（BUN）、尿酸の値が劇的に改善した

鹿児島県　Iさん　男性　70代

Iさんは吸着炭粉末を飲み始めてから、血清クレアチニン、尿素窒素（BUN）、尿酸の値が劇的に改善し、大変喜んでおられます。担当医はJさんの検査結果が信じら

れない様子だったとの事です。
腎臓の機能は、一度低下すると元通りにはならないとされています。そのため検査数値においても、改善を感じることはあまりないかもしれません。Ｊさんは吸着炭粉末によって血清クレアチニン、尿素窒素、尿酸の３つが改善しました。担当医が「信じられない」というのは、腎臓病においては、なかなかない事だからでしょう。

症例19

透析寸前を回避。主治医も驚く改善

福岡県　Ｊさん　女性　90代

Ｊさんは腎不全末期に至り、人工透析寸前だったそうです。しかし吸着炭粉末を飲用し始めて状態が改善し、透析を回避する事ができました。高かったカリウム値も下がり、大変喜んでおられます。これには主治医も驚いているとの事です。

日本は世界で最も人工透析患者の多い国です。技術も非常に進歩しています。それでも1回4時間、週に3回ほど通院しなければなりません。時間的にも体力的にも大きな負担であり、できれば回避したい治療だと思われます。

Jさんは幸い、吸着炭粉末で透析を回避することができました。ご高齢でもあり、主治医が驚くのも無理はありませんが、透析回避は、腎臓病の患者さん全ての願いだと言えるでしょう。高齢の方は脱水症などでＣＫＤが急性に悪化することがありますので、風邪やインフルエンザなどには注意が必要です。

症例20

慢性腎臓病（ＣＫＤ）で全身にむくみ。今は解消して指輪も入る

愛知県　Ｋさん　女性　30代

Ｋさんは20代で腎盂腎炎を患い、その後回復せず慢性腎臓病（ＣＫＤ）に移行してしまいました。尿が出にくくなり、全身がむくむようになりました。特につらかったのが顔のむくみで、ノイローゼ気味になったそうです。

しかし水分、塩分制限や利尿剤は効果がなく、吸着炭粉末を飲み始めました。すると2日後に尿が出始め、むくみが解消していきました。それまでつけることができなかった指輪もつけられるようになり、大変喜んでおられます。

腎盂腎炎は膀胱炎などから起きる病気で、尿道が短い女性が罹りやすいことが知られています。多くは治ってしまうのですが、何度も繰り返す事があり、慢性腎臓病（ＣＫＤ）に移行する場合があります。

全身のむくみ、特に顔のむくみは若い女性にとって大変につらいものです。Lさんは病院の治療がうまくいかず、吸着炭粉末を飲んで、つらいむくみが解消しました。むくみは外見だけでなく、内臓に負担がかかって機能が低下している事があるので、おろそかにはできません。

Kさんは吸着炭粉末によってむくみが解消しています。吸着炭粉末にはむくみの直接的な引き金になる塩分（ナトリウム）を吸着する働きはありませんが、尿毒素を吸着することで腎臓の働きがよくなり、尿の出がよくなってむくみが解消したと考えられます。

ただし、この患者さんの場合、ネフローゼ症候群を合併していたのかどうか腎臓専門医の診察も必要と考えます。

第6章 吸着炭粉末に関するQ&A

Q1

吸着炭粉末の原材料は何ですか。

植物性の結晶セルロースです。元は主として北米産の樹木から加工されたパルプですが、一般に考えられている植物、天然ものとはかなりイメージの違う物質です。もともと医薬品や食品に使用する素材なので、無味無臭で無害。徹底した安全管理の下で、炭素・水素・酸素だけからなるセルロース以外の物質を除去し、精製加工された物質です。

Q2

竹炭や備長炭などを加工した「食用の炭」がありますが、それとは違うのですか。

全く違います。竹炭や備長炭などの炭は、もともと食べるものではありませんし、そうした加工もされていません。天然の植物だから安全というのは誤解です。

そうした炭は、生産地や土壌などの違いで成分が大きく異なり、食べて安全かどうか全く不明です。汚染の可能性もあります。

吸着炭粉末は、開発の段階から食べる事、人の口に入る事を前提に、世界で最も安全な炭である事をコンセプトに開発されました。

Q3

「薬用の炭」とは何ですか。

「薬用の炭」の1つは「薬用炭」で、下痢や食中毒などの際、解毒剤として使われています。短時間で消化器内にある有毒物質を吸着させる事が目的なので、他の薬や栄養素なども吸着してしまいます。よいものも悪いものも吸着してしまいますが、長期使用するものではないのでそれでいいのです。腎臓病には処方されません。

もう1つは腎臓病の薬クレメジンです。腸内で尿毒素であるインドール、二次胆汁酸などを吸着し、尿毒症を予防・改善する腎臓病のための薬です。副作用として便秘があります。ただし効き目は弱めと言われています。

Q4 吸着炭粉末は「薬用の炭」ではないのですか。

吸着炭粉末は薬ではありません。しかし腎臓病の専門医、研究者、薬学者が開発に当たった物質であり、クレメジン同様に腸内で尿毒素を吸着します。またクレメジンがあまり吸着できないAGE（終末糖化産物）を、（試験管内では）ほぼ100％吸着することが確認されています。

Q5 吸着炭粉末はどこで、どんなものを吸着するのですか。

吸着炭粉末が作用するのは主に大腸です。吸着するものとしてまずインドール、アンモニア、スカトール等があります。これらは腸内細菌（悪玉菌）が作り出し、血液を経てインドキシル硫酸などの尿毒素になります。

食品由来のＡＧＥ（終末糖化産物）には１００％近い吸着力があります。この物質は動脈硬化の原因であり、腎臓の毛細血管（ネフロン）を硬化させて破壊させる事がわかってきました。

ほかにも腸内細菌（善玉菌）への影響が心配されるソルビン酸等の食品添加物も吸着します。

Q6 吸着炭粉末は飲んでも安全なのでしょうか。安全性試験はクリアしていますか。

第三者機関で安全性試験を受けてクリアしています。一般生菌、大腸菌検査はもちろん、重金属検査や放射能検査、変異原性試験、急性毒性・亜急性毒性試験も行っており、全く問題ありませんでした。

吸着炭粉末は腸で尿毒素等を吸着して、便と一緒に排泄されてしまいます。腸から血液に吸収される事はありませんので、「体に吸収されない」物質なのです。クレメジンや食用炭もそうですが、吸収されない事、排泄される事が特長なのです。

Q7 吸着炭粉末はいつ、どのくらい飲めばいいのでしょうか。

カプセル状のもので、おおよその目安は1日6粒ですが、量はご自分で加減しながら決めてかまいません。1日2～3回に分けて飲む方が多いようです。朝だけでも夜だけでもかまいません。

安全性試験では、1日目安量の約50倍量を動物に28日間与え続けても安全である事が確認されておりますが、基本的には1日の目安量を参考にして調節してください。

Q8 処方薬と一緒に飲んでも大丈夫でしょうか。

吸着炭粉末は腸壁から吸収される事はないので、薬の効果を妨げたり増幅したりすることはありません。しかし薬の成分を吸着してしまう可能性はあるので、薬とは1～2時間程度の間を空けてお飲みください。

Q9

他のサプリメントと一緒に飲んでも大丈夫ですか。

吸着炭粉末は、分類としては食品ですので、他のサプリメントと飲んでいただいても差し支えありません。しかしサプリメントの成分を吸着する可能性もありますので、やはり時間を空けて、別々に飲んだ方がよいでしょう。

Q10

目安の量より少なめに飲んだら、効果はなくなってしまいますか。

吸着炭粉末は食品ですので、量に関しては飲む方の感じ方次第です。年齢や体形、薬との兼ね合いなどでも変わってきます、実際に飲みながら、ご自分にとっての適量を決めていただくのが一番いいでしょう。

Q11 子どもに飲ませる時は少ない方がいいでしょうか。

吸着炭粉末の飲用は、カプセルが飲み込める7歳くらいのお子様からが適当だと思われます。飲む目安としては、大人の3分の1から2分の1くらいから始めてはいかがでしょうか。

Q12 使用してどのくらいから効き目が現れますか。

体質や体調によって個人差が大きく一概には言えませんが、3か月から半年ほどが判断時期だと思われます。

吸着炭粉末は食品ですので、薬のようなはっきりした答はありません。しかし半年飲んで全く体感できなければ、それ以降期待はできないと思われます。やはり「合う」「合わない」という事はあります。

Q13 副作用はありますか?

食品ですので、薬のような副作用はありません。ただし、体質や体調などによって、まれに身体に合わない場合があります。特に敏感な方や食品アレルギーのある方は、製品パッケージやカタログに記載されている全成分表示や注意表記を必ずご確認ください。また、初めてお摂りになる場合には、少量から様子を見ながら試されることをお勧めしています。

Q14

飼っている猫に飲ませてもいいでしょうか。

吸着炭粉末を使っている獣医師も少なからずおります。最近は動物用の食用炭「ネフガード」がありますが、実験の結果では吸着炭粉末の方がAGE吸着力は高いようです。実績はありますが、やはりかかりつけの獣医師に一度ご相談の上、ご利用ください。

猫の場合、1日に1カプセル分を餌に振りかけると使いやすいようです。

Q15

吸着炭粉末はアレルギーにも効くのですか。

多くの方に試していただきましたが、花粉症の方には大変好評です。鼻水、くしゃみ、鼻づまり、目のかゆみ等が軽くなったという人がたくさんおられます。

吸着炭粉末は腸内で悪玉菌が産生する有害な物質を吸着し、便と一緒に排出してしまいます。これによって腸内環境が整い、免疫細胞のバランスがよくなるのではないかと考えられています。近年、アレルギーと腸内環境の関係は、大変重要である事が明らかになっています。

Q
16

吸着炭粉末はアンチエイジングにもよいのですか。

吸着炭粉末の最大の特長は、腸内でAGEを吸着して便と一緒に排出する事です。AGEは近年非常に注目されている物質で、血管、皮膚、骨、内臓、脳などたんぱく質でできているあらゆる部分を糖化し、硬く、代謝の悪い状態にしてしまいます。わかりやすい例でいうと、お肌のコラーゲンが硬くなり、新陳代謝が悪くなって、シワやシミになる現象がそれです。

AGEは血液に乗って全身いたる所の細胞に届いてしまいます。吸着炭粉末は老化物質ＡＧＥを腸で吸着し、血液に乗って全身に届くことを阻止するのです。

尿毒素を吸着する炭!?

「炭」が薬になっていることを知っている人が、今日の日本にどれくらいいるでしょう。「炭」とは、炬燵や囲炉裏、バーベキューなどで使う燃料の炭と原理的には同じで、木材などを高温で加熱して炭素のかたまりにしたものです。

そんなものが薬になるのでしょうか? なるのです。いや既になっていました。

ただし薬用の炭は燃料のそれとは違い、材料を吟味し、成分を分析し、汚染や不純物の一切ない安全な医療用の炭です。腎臓病にも、クレメジンという尿毒素を吸着する活性炭の薬があります。しかし残念ながらクレメジンは服用量が多い割には効き目が弱く、便秘などの副作用のため飲みにくいなどの欠点があるのが難点です。

そこで腎臓病の医師や専門家が集まって、もっと確かな作用を持つ炭製品を作ろうとして開発されたのが吸着炭粉末です。進行するとほとんどが人工透析になってしまう腎臓病に、新たな道を開こうとして開発された異色の炭サプリメントです。

この物質は腸で尿毒素を吸着するのですが、うまい具合に腎臓に悪いものばかりを選んでくれます。素材と加工の妙なのでしょう。インドール、アンモニア、スカトール、そしてＡＧＥと、本当に困った有毒物質ばかりをチョイスしてくれるのです。

それならいっそ薬にしてはどうでしょう。そうすれば日本中の１３００万人の患者さんに、保険適用で届けることができます。けれども医薬品化のために試験を繰り返し、10年、20年と時間を費やし、ようやく薬になるのは一体何十年後でしょう。これでは今現在、腎不全の人を救えるわけがありません。

もう既にクレメジンが存在し、薬用炭（薬物中毒など用）があるのです。炭が尿毒素を吸着するのはわかっているのですから、あとは品質と安全性を極めれば、もっと役に立つ、もっと賢い、腎臓病を何とかしてくれる炭ができるはず。そうして本当にできてしまったのが吸着炭粉末です。

しつこいようですが、腎臓病の医師や専門家、薬学のプロが集まって、これまで何十年も積みあげてきた知識と情報と技術を駆使して作ったのです。よくないはずがありません。

吸着炭粉末のすごいところは、クレメジンが吸着するものは一通り吸着し、さらにＡＧＥを強力に吸着することです。

ＡＧＥをご存じですか。今、世界中の研究者たちがよってたかって調べ上げ、対策を練りに練っているＡＧＥ。別名老化物質！　恐ろしい。

これまでの研究によると、現代人の動脈硬化は、かなりＡＧＥでできていると言っても過言ではありません。従って腎臓の動脈硬化＝腎臓病も、このＡＧＥが張本人（の1人）です。本書にもっと詳しく科学的に説明してあります。

それを吸着炭粉末が腸でがっちり吸着してくれるので、腎臓はかなり楽になります。それまで毒をまき散らしてガンガン押し寄せてきた悪魔のようなＡＧＥが、すーっといなくなる。「いなくなる」は言い過ぎですが、びっくりするくらい少なくなる。言ってみれば疲れ果てた腎臓の仕事の一部を、腸と吸着炭粉末が肩代わりしてくれる。

第6章を読んでいただくとわかるように、試した方達の血清クレアチニン等、通常はまず下がらないものが下がる。専門医が「そんなバカな」というような現象が起きています。

さて腎臓病治療の目指す所は人工透析を回避する事。患者さんが、一生、自分の腎臓で生きていく事ではないでしょうか。吸着炭粉末は、かなりその助けになりそうです。開発や研究の経緯、たくさんの体験者の声、そうした情報を総合すると、「確かにこれはいい」と思わせる優れものです。

最後にお願いしたいことは、とにかく健診を定期的に受けて腎臓病の有無を確認してください。腎臓病と診断されても悲観せずに専門医の標準的治療を受けましょう。それでも改善が認められないようなら、吸着炭粉末はトライする価値のあるサプリメントです。まだまだエビデンスには乏しいのですが、〝つける薬〟の少ない腎臓病に対して大きな福音になることを祈念せずにはおれません。

参考文献

『図解　腎臓病の正しい知識と最新治療　決定版』冨野康日己　監修（日東書院）
『腎臓病と診断されたら読む本』鈴木利昭 著（幻冬舎メディアコンサルティング）
『腎臓病を治す本　専門医が教える「根治のための治療法」と「生活習慣」』堀田修 著（マキノ出版）
『別冊ＮＨＫきょうの健康　慢性腎臓病（ＣＫＤ）』　冨野康日己 監修（ＮＨＫ出版）
『腎臓病から見えた老化の秘密　クロトー遺伝子の可能性』草野英二　黒尾誠 共著（日本医学館）
『ＣＫＤ診療ガイド２０１２』社団法人 日本腎臓学会 編（東京医学社）

◉ 監修者プロフィール

医学博士

草野英二（くさの・えいじ）

日本腎臓リハビリテーション学会理事、日本腎臓学会功労会員、日本透析医学会名誉会員、栃木県透析医学会幹事、栃木県透析医会理事、栃木県病院協会常任理事など

専門分野：内科学、腎臓病学、透析医学

昭和49年３月　東北大学医学部卒業
昭和49年５月　北里大学病院初期研修(ジュニアレジデント)
昭和51年５月　自治医科大学病院後期研修(シニアレジデント)
昭和54年４月　自治医科大学病院助手(循環器内科)
昭和56年７月　米国メーヨークリニックリサーチフェロー（生理）
昭和58年９月　自治医科大学助手(循環器内科)
昭和62年10月　自治医科大学講師(腎臓内科)
平成 ５年５月　自治医科大学助教授(腎臓内科)
平成14年４月　自治医科大学教授(腎臓内科)
平成22年４月　自治医科大学附属病院　副病院長(兼任)
平成25年４月　宇都宮社会保険病院　病院長
平成26年４月　JCHOうつのみや病院　病院長
平成27年４月　自治医科大学名誉教授
著書：『透析療法における心・血管系合併症と対策』（改訂第２版）、『腎臓病から見えた老化の秘密』、『腎臓内診療マニュアル』など

《所属学会》
日本内科学会、日本腎臓学会、日本透析医学会、日本腎臓リハビリテーション学会、日本高血圧学会、アメリカ腎臓学会、国際腎臓学会

◉ 著者プロフィール

犬山康子

医療ジャーナリスト

1959年生まれ。出版社勤務を経てフリーランスとして活動。
子どものアレルギーをきっかけに健康・医療に興味を持ち、
自然療法、東洋医学などの研究、執筆活動を展開中。
一児の母。

本書を最後までお読みいただきまして
ありがとうございました。

本書の内容についてご質問などございましたら、
小社編集部までお気軽にご連絡ください。

平原社編集部
TEL:03-6825-8487

【増補版】
腎臓病は体内浄化すれば
よくなっていく

二〇二一年十二月一日 第一版第一刷発行
二〇二三年十一月一日 第一版第三刷発行

監修 草野英二
著者 犬山康子
発行所 株式会社 平原社
東京都新宿区喜久井町三四番地 九曜舎ビル三階
(〒一六二-〇〇四四)
電話 〇三-六八二五-八四八七
FAX 〇三-五二九六-九一三四
印刷所 ベクトル印刷株式会社

ISBN978-4-938391-73-7